Kerstin Othmer-Haake

Der Mensch lebt nicht vom Brot allein

7 Taufgottesdienste mit Symbolen
und vielen Gestaltungsideen

Luther-Verlag / Verlag Junge Gemeinde

Bibliographische Information Der Deutschen Nationalbibliothek

Die Deutsche Nationalbibliothek verzeichnet diese Publikation in der Deutschen Nationalbibliographie; detaillierte bibliographische Daten sind im Internet über http://dnb.d-nb.de abrufbar.

Luther-Verlag ISBN: 978-3-7858-0551-0
Verlag Junge Gemeinde ISBN: 978-3-7797-0557-4

Umwelthinweis:
Dieses Buch wurde auf chlorfrei gebleichtem Papier gedruckt.

Umschlaggestaltung: Eva Dietsche, Bochum
Titelbild: Antje Solenski, Hagen
Druck, Bindung: Fuldaer Verlagsanstalt GmbH & Co. KG, Fulda
Printed in Germany

Inhalt

Die Gottesdienste

Register

Gott lädt zu sich ein
Vorwort

So wie Jesus ein Kind in die Mitte der Jünger stellt, gehören Kinder in die Mitte unserer Kirche. Kinder haben in der Erzählgemeinschaft der Christen ihren Platz ganz vorne und die Zukunft unserer Gesellschaft hat ihre Grundlagen im Leben und den Lebensmöglichkeiten ihrer Kinder. Gemeinsam mit ihnen wollen wir Kirche bauen, uns den veränderten und sich verändernden gesellschaftlichen und kirchlichen Rahmenbedingungen stellen und nach vorne schauen. Dazu gehört die Besinnung auf die Wurzeln unseres Glaubens und die Konzentration auf das Wesentliche gemeindlichen Handelns. In den Gottesdiensten wird dies deutlich, möglich und mehr denn je erforderlich. Im Gottesdienst vergewissern wir uns der bedingungslosen Zuwendung Gottes zu uns, der Gemeinschaft mit ihm und untereinander.

Der Taufe als Station auf dem Weg mit Gott kommt eine fundamentale, zentrale, weil sakramentale Bedeutung zu. Darauf können wir uns neu und immer wieder besinnen, damit der Glaube und Gottes Menschennähe erfahrbar werden und Gemeinde wieder wachsen kann.

Durch die traditionsbewusste, kreative und fantasievolle Gestaltung von Taufgottesdiensten sind Kinder ganzheitlich angesprochen. Sie erleben Gebete, Lieder und biblische Geschichten mit allen Sinnen. Kinder möchten sich auf ihre Weise beteiligen und mitgestalten. Kinder haben den Erwachsenen bisweilen in ihrer unmittelbaren individuellen Aneignung der biblischen Botschaft etwas voraus. Die vorliegenden Gottesdienstentwürfe und Bausteine möchten Kinder und Erwachsene mit dem Evangelium in Berührung bringen und laden ein, „mit Herzen, Mund und Händen“ zu feiern.

Bielefeld, 22. Juli 2006

Alfred Buß
Präses der Evangelischen Kirche von Westfalen

Bitte

Wir werden eingetaucht
und mit dem Wasser der Sintflut gewaschen
wir werden durchnäßt
bis auf die Herzhaut

Der Wunsch nach der Landschaft
diesseits der Tränengrenze
taugt nicht
der Wunsch den Blütenfrühling zu halten
der Wunsch verschont zu bleiben
taugt nicht.

Es taugt die Bitte
daß bei Sonnenaufgang die Taube
den Zweig vom Ölbaum bringe
Daß die Frucht so bunt wie die Blüte sei
daß noch die Blätter der Rose am Boden
eine leuchtende Krone bilden

Und daß wir aus der Flut
daß wir aus der Löwengrube und dem feurigen Ofen
immer versehrter und immer heiler
stets von neuem
zu uns selbst
entlassen werden

Hilde Domin

Die Kraft der Siebenzahl

Hinführung

Sieben Tage werden in der Schöpfungsgeschichte beschrieben, den siebten Tag segnet Gott und heiligt ihn. Von sieben mageren und sieben fetten Jahren träumt Josef; nicht siebenmal, sondern siebzigmal siebenmal können wir vergeben, und das Buch der Offenbarung richtet sich an sieben Gemeinden.

Die Zahl sieben ist in biblischen Geschichten eine besondere, die etwas Vollkommenes ausdrückt.

Dies ist ein Grund, warum im Folgenden sieben wesentliche Zeichen und Gegenstände ausgewählt sind, um die Taufe und ihre Bedeutung auf verschiedenen Ebenen anschaulich werden zu lassen und zu verdeutlichen. Allen gemeinsam ist der direkte biblische Bezug zur Taufe.

Ich habe mich auf die tragende Kraft der Siebenzahl verlassen und elementare, vertraute Dinge mit Blick auf die Taufsymbolik ausgewählt. Dazu wurden Gottesdienstbausteine und Materialien gesammelt, die in vielen Gruppen zum Einsatz kommen können, für und von Kindern erdacht, erprobt und zum Teil erstellt.

Wünschenswert ist der Einsatz nicht nur im Taufgottesdienst, sondern an allen Orten, an denen Kinder sind und wo es um Kinder geht, z. B. bei Kinderbibelwochen oder -bibeltagen, aber auch auf einem Elternabend im Kindergarten oder in der Grundschule.

Die Vorschläge und Ideen richten sich an Ehrenamtliche und Hauptamtliche. Jeder Gottesdienst ist ausführlich skizziert und doch sollen nicht die Fantasie und eigene Ideen der Benutzenden blockiert werden. Deshalb wird es manchmal auch bei einer Aufzählung und einem Tipp, einem Stichwort oder einer Idee belassen, um die eigene Kreativität zu beflügeln und Rahmenbedingungen vor Ort zu berücksichtigen.

Die vielseitige, sinnfällige Darstellung, die biblisch begründete Auswahl, die praxisbezogene Zusammenstellung und der Blick auf das Wesentliche machen die Sammlung zu einer interessanten Fundgrube und generationenübergreifend wertvoll. Mitunter, z. B. bei Licht und Kleid, gibt es Überschneidungen, Ergänzungen und Ähnlichkeiten. Das ist gewollt, um den Baustein-Charakter deutlich zu machen.

Nun wünsche ich viel Freude beim Gestalten, Bedenken und Beten, damit die Taufe spritzig und lebendig erfahrbar wird. Gottes Segen für alle, die eintauchen möchten in das vorliegende Buch und sich mit Gottes Sakrament beschäftigen wollen.

Zu den genannten sieben Zeichen habe ich folgende Bibelstellen und Themen gestellt:

- **Der Name** (Jesaja 43,1 ff.; Matthäus 28,18–20)
  Thema: Du bist mein, Taufet sie auf den Namen …
- **Das Wasser** (Psalm 36,10; Matthäus 3 + Lukas 3; Johannes 3; 1. Korinther 6,11; 1. Petrus 3,20 ff.)
  Thema: Quelle des Lebens, Jesu Taufe im Jordan, Nikodemus, Heiligung, gerettet durch das Wasser
- **Das Licht** (Psalm 119,105; Matthäus 5,14; Johannes 8,12 ff.; Epheser 5,8+14)
  Thema: ein Licht auf dem Weg, Licht der Welt, Kinder des Lichts
- **Die Segenshand** (Psalm 139; Markus 7,31, 8,23 und öfter)
  Thema: Heilen durch Anrühren und Hand auflegen
- **Das Kleid** (Psalm 104,1 f.; 1. Korinther 15,53 f.; Galater 3,27 f.)
  Thema: Licht ist Gottes Kleid, Wandlung durch Glauben, Taufe
- **Das Kreuz** (Römer 6,3; Lukas 9,23)
  Thema: Taufe, Nachfolge
- **Das Brot** (Johannes 6,35; Apostelgeschichte 2,42; 1. Korinther 11,23 ff.)
  Thema: Brot des Lebens, Gemeinschaft, Abendmahl

Ordnung ist der halbe Gottesdienst

Aufbau und Ablauf

Den konkreten Gottesdienstentwürfen möchte ich eine Darstellung vom Aufbau und Ablauf voranstellen. Zunächst werden die Schritte benannt, an denen sich Aufbau und Ablauf orientieren. Die darauf folgende schematische Übersicht präzisiert die Anliegen der Schritte und bietet bereits erste inhaltliche Angebote. Die ausformulierten Gottesdienste gehen anschließend ins Detail und vertiefen die Vorschläge mit Blick auf Gebete, aufgezählte Kreativideen sowie hinweisende Tipps und Ideen für den Verkündigungsteil.

Der zugrunde gelegte Gottesdienstablauf und die Bausteine zu den sieben Symbolen und Zeichen folgen im Wesentlichen den vier Schritten des Evangelischen Gottesdienstbuches:

A ZUSAMMENKOMMEN UND BETEN
(Eröffnung und Anrufung)

B HÖREN UND ANTWORTEN
(Verkündigung und Bekenntnis)

C FEIERN
(Abendmahl)

D BITTEN UND SEGNEN
(Sendung und Segen)

Die folgende Übersicht konkretisiert diese vier Schritte. In der linken Spalte wird kurz und übersichtlich benannt, worum es geht, in der rechten Spalte sind Liedvorschläge aus dem Evangelischen Gesangbuch (EG, Ausgabe Rheinland, Westfalen, Lippe) und dem Liederbuch für die Jugend (LJ) und liturgische Gestaltungsmöglichkeiten benannt, die auch als Beispiele für „normale“ Gottesdienste zu verstehen sind, also Erwachsenengottesdienste, Familien- und Kindergottesdienste im Allgemeinen.

A ZUSAMMENKOMMEN UND BETEN
(Eröffnung und Anrufung)

Ankommen und Begrüßen
- die Gottesdienstbesuchenden erwarten und empfangen, sie begrüßen (mit Namen und Handschlag)
- Gesang- und/oder Liederbücher austeilen
- *musikalisches Vorspiel*
- *informelle Begrüßung*, z. B. Vorstellung des Täuflings, dessen Familie und Paten, notwendige Hinweise zum Gottesdienstablauf
- *Eingangslied*
- *Votum und Gruß*

Sich an Gott wenden/ihn anrufen (beten)
- einen *Psalm* sprechen (im Wechsel oder mit einfachem Kehrvers gesprochen oder gesungen)
- *Gloria patri* (Ehr' sei dem Vater)
- *Schuldbekenntnis* (Klagen vor Gott aussprechen ...)
- *Kyrie* (und Gott um Erbarmen anrufen)
- *Gloria in excelsis* (Gott loben und singen)
- *Gebet*

Liedvorschläge für das **Eingangslied**:
- Liebster Jesu, wir sind hier (EG 161)
- Du hast uns, Herr, gerufen (EG 168, LJ 112, MKL1 8)
- Der Gottesdienst soll fröhlich sein (EG 169, LJ 114, KG 187)
- Kommt herbei, singt dem Herrn (EG-RWL 577, LJ 445, KG 176)

Vorschlag für ein **Votum:**
Liturgin/Liturg: Im Namen Gottes, des Vaters und des Sohnes und des Heiligen Geistes.
Alle: Amen.
Liturgin/Liturg: Unsere Hilfe kommt von Gott,
Alle: der Himmel und Erde gemacht hat.
Liturgin/Liturg: Friede sei mit euch.
Alle: Und mit deinem Geist.

Liedvorschläge für das **Gloria patri**:
- Von allen Seiten (EG-RWL 653, MKL2 89)
- Aus der Tiefe rufe ich zu dir (EG-RWL 655, LJ 359, MKL2 8)
- Ich lobe meinen Gott, der aus der Tiefe mich holt (EG-RWL 673, LJ 560, KG 112)

Liedvorschläge für das **Schuldbekenntnis**:
- Kyrie eleison (EG 178.9–11, LJ 120)
- Meine engen Grenzen (EG-RWL 600)

Liedvorschläge für das **Gloria in excelsis**:
- Gloria (EG 580, LJ 381)

B HÖREN UND ANTWORTEN
(Verkündigung und Bekenntnis)

Erzählen (Hören)
- *Lesung* der Geschichte von der Segnung der Kinder (Markus 10,13–16)
- *Taufansprache*, das Taufthema entfalten
- *Lesung* des Missionsbefehls (Matthäus 28,18–20)

Antworten (und vertiefen)
- die Botschaft z. B. kreativ gestalten

Bekennen/Glaubensbekenntnis
- den Glauben mit Liedern und Texten ausdrücken

Taufhandlung
- *Tauffragen* an die Eltern und Paten und an die Gemeinde
- *Taufe* im Namen des dreieinigen Gottes (mit reichlich erwärmtem Wasser)
- *Taufspruch, Kreuzzeichen, Taufkerze* und *Segen* für Eltern bzw. Mutter und Vater

Liedvorschläge für das **Bekennen**:
- Der Gottesdienst soll fröhlich sein (EG 169; besonders Strophe 2: Wir hören jetzt auf Gottes Wort)
- Liebster Jesu, wir sind hier (EG 206)
- Du hast mich, Herr, zu dir gerufen (EG 210)
- Herr, gib uns Mut zum Hören (EG-RWL 605, LJ 553)
- Es ist ein Wort ergangen (EG-RWL 590)
- Gottes Wort ist wie Licht in der Nacht (EG-RWL 591, KG 149)
- Wort, das lebt und spricht (EG-RWL 592)

Vorschlag für ein **Glaubensbekenntnis**:
Ich glaube an Gott, den Vater.
Er hat Himmel und Erde und uns alle erschaffen.
Ich glaube an seinen Sohn Jesus Christus.
Er ist für mich geboren. Er ist für mich gestorben. Er ist für mich von den Toten auferstanden.
Ich glaube an den Heiligen Geist.
Gott lässt uns nicht allein.
Er begleitet uns mit seinem Heiligen Geist. Durch ihn gehören wir alle zusammen. Amen.
(Weitere Glaubenszeugnisse z. B. EG-RWL 814; auch 815, 949)

Weitere Tauflieder zum Thema
(siehe ausgeführte Gottesdienste)

ABCD C

FEIERN
(Abendmahl)

Liedvorschläge für das **Abendmahl**:
- Halleluja (Taizé EG 182, besonders die Strophen 6 und 8; LJ 128)
- Komm, sag es allen weiter (EG 225, besonders die Strophen 2 und 3)
- Kommt mit Gaben und Lobgesang (EG 229)
- Wenn das Brot, das wir teilen (EG-RWL 667, MKL2 114)
- Kommt, wir teilen das Brot (KG 206)
- Jesus Brot (MKL1 19)
- Wir teilen Brot, wir teilen Saft (KG 207, MKL2 128)

ABCD D

BITTEN UND SEGNEN
(Sendung und Segen)

(Kollekte einsammeln)
- *Dank- und Fürbitte* (vorgegeben oder frei)
- Kinder/Paten formulieren eigene Gebete
- Stilles Gebet
- *Vater unser* (falls nicht im Abendmahl)
- *Lied*
- *Segen/Segnen*
- Sich verabschieden

Vorschläge für das **Lied zur Fürbitte**:
- Komm, Herr, segne uns (EG 170, LJ 116)
- Bewahre uns, Gott (EG 171, LJ 117, KG 213)
- Schalom chaverim (EG 434, LJ 245, KG 133)
- Segne und behüte (EG-RWL 575, LJ 416)
- Erleuchte und bewege uns (EG-RWL 608)
- Lasst uns den Weg der Gerechtigkeit gehn (EG-RWL 675, LJ 584)
- Wir beten für den Frieden (EG-RWL 678)

Vorschlag für den **Aaronitischen Segen** mit Gesten

Gott segne dich
(Paare stehen hintereinander)
und behüte dich.
(rechte Hand auf rechte Schulter des/der Vorderen)
Gott lasse sein Angesicht leuchten über dir
(linke Hand auf linke Schulter des/der Vorderen)
und sei dir gnädig.
(Hände über den Kopf halten)
Gott erhebe sein Angesicht auf dich
(streichen von den Schultern abwärts)
und gebe dir Frieden.
(Hände auf den Kopf legen)
Amen.
(über den Rücken streichen)

Was noch zu berücksichtigen ist

Einige grundsätzliche Tipps

An Gottes Segen ist alles gelegen. Das stimmt. Wir können über Gottes Geist nicht verfügen, aber wir können Hindernisse aus dem Weg räumen.

Die eigene *Besinnung* bei der Vorbereitung, das Gespräch mit anderen über den Gottesdienst, die Bitte um Fürbitte, sich im Vorfeld Ruhe und Zeit zu nehmen sind wesentliche Voraussetzungen für gelingende Gottesdienstfeiern. Vieles, was zur heilvollen Atmosphäre und zur spirituellen Stimmung dazugehört, steht zwischen den Zeilen und kann nicht in Worte gefasst werden. Denn das Wesentliche wird mit dem Herzen gesehen.

Die *Beteiligung der Gemeinde* ist ein Schlüsselwort im Evangelischen Gottesdienstbuch. Mitunter wird Beteiligung missverstanden und Familiengottesdienste können ausarten in Aktionismus, werden zu einem Basar von Mitmachgeschichten. Dadurch gehen Stille, Einkehr und Aufmerksamkeit verloren. Ein Musiker hat einmal gesagt: Das Schönste an der Musik sind die Pausen. Ich möchte ermutigen zu weniger Stress, Liebe zum Detail, Mut zur Lücke (Pause) und zur Hingabe an innere Beteiligung bei sich selbst und bei den anderen.

Ganz besonders wichtig sind *Patinnen und Paten.* Um der Gefahr vorzubeugen, dass sie lediglich als Statisten oder gar nicht vorkommen, sei angeregt, in jedem Gottesdienst individuell die Mitwirkungswünsche und -möglichkeiten persönlich abzustimmen. Es eignen sich die Lesung, eine Fürbitte, ein Segensvotum für Täufling und/oder Eltern ebenso wie die Übergabe der Taufkerze oder sogar eines bedeutungsvollen Geschenkes im Gottesdienst.

Es gibt gute Erfahrungen damit, einen *Liedzettel* mit Angaben zum Gottesdienstablauf zu machen. Dieser kann als Ergänzung zum Gesangbuch oder Liederheft dienen, beides gegebenenfalls und je nach Umfang sogar ersetzen, zumindest für diesen einen Taufgottesdienst. Hierbei engagieren sich auch die Eltern gern und mit Hingabe. Das Gottesdienstprogramm hat Erinnerungswert, wird mitgenommen und häufig aufgehoben. Es kann beim Taufgespräch eine große Stütze sein. Einerseits hilft es den Gottesdienstbesuchenden, die nicht mehr und noch nicht (wieder) mit der Liturgie vertraut sind, sich zu orientieren. Andererseits kann man sich als Liturgin und Liturg gesprochene „Anweisungen" sparen, z. B. wann die Gemeinde aufsteht oder ausführliche Angaben zum Kollektenzweck. Es hat sich als hilfreich erwiesen, das Glaubensbekenntnis und das Vaterunser abzudrucken oder auf den Fundort (z. B. letzte Seite im Gesangbuch) hinzuweisen.

Nicht immer wird bei Taufen auch das Heilige Abendmahl gefeiert. Elemente lebendiger Liturgie bei *Abendmahlsfeiern* mit Kindern und Erwachsenen werden in dem Entwurf auf Seite 115 kurz und impulsartig ausgeführt. Im Schema Seite 14 finden sich unter C „Feiern" weitere Lieder dazu.

Das Thema „Abendmahl mit Kindern" wird allenthalben besprochen und beraten und deshalb habe ich es für dieses Buch nicht ausführlich aufgegriffen.

Was jetzt folgt
Die sieben Gottesdienste

Jedem Gottesdienst steht eine kurze Erläuterung voran. Was hat es mit dem jeweiligen Zeichen und Gegenstand auf sich? Die entsprechenden Bibelstellen werden aufgelistet, ein passendes Lied vorgeschlagen, ein Gegenstand ausgewählt und ein Bild betrachtet.

Die *Aquarellbilder von Antje Solenski*, speziell für dieses Buch gemalt, haben gemeinsam, dass sie Jesus Christus zeigen – von hinten – und zwar durchgängig mit ausgebreiteten Armen. Der Körper, die Figur dieser Christusdarstellungen, bildet durch die offenen Arme ein Kreuz. Die Zusage Gottes in der Taufe, dass er uns unbedingt annimmt, wie wir sind und wer wir sind, soll augenfällig zum Ausdruck kommen. Diese Zusage geht über den Tod hinaus und ist ohne Grenze. Die Taufe bedeutet Anteil am Kreuz, an Tod und Auferstehung Jesu Christi. Die Taufe bedeutet Ewiges Leben trotz aller weltlichen Kreuze von Leid, Not und Zerstörung, Sterben und Gottesferne. Ja, es geht um Tod und Leben, durchgängig – in jedem Taufgottesdienst. Die Bilder möchten diese schier ungeheure, unglaubliche Wahrheit kontinuierlich präsent halten und die Ernsthaftigkeit von unbedingter Annahme vor Augen führen, ohne die Freude der Tauf-Feiernden dämpfen zu wollen.

Die einzelnen liturgischen Stücke, z. B. die Lesungen, die Tauffragen, sind im ersten Gottesdienst beispielhaft ausformuliert; sie kommen in jedem Gottesdienst vor, werden aber nicht jedes Mal ganz abgedruckt.

Fast alle Lieder finden sich im Stammteil des EG, im Liederheft für den Kindergottesdienst (LfK) oder im Liederbuch für die Jugend (LJ). Wenige Lieder sind im Regionalteil des EG Rheinland-Westfalen-Lippe (EG-RWL) zu finden.

Bei Bibelversen und Lesungen aus dem Alten und Neuen Testament ist hier auf den revidierten Luthertext zurückgegriffen worden, wohl verstanden als eine unter mehreren Möglichkeiten.

Die Einheitsübersetzung oder die Übertragungen neutestamentlicher Texte von Jörg Zink oder von Klaus Berger und Christiane Nord sind anregend, sinnvoll und empfehlenswert (siehe Literaturverzeichnis S. 136).

Selbstverständlich kann auch zu Kinderbibeln gegriffen werden. Diese hier ausführlich zu kommentieren würde den Rahmen sprengen. Dennoch möchte ich eine kleine beachtenswerte Auswahl aufführen (siehe Literaturverzeichnis S. 136):

- Die *Gütersloher Erzählbibel* hat beeindruckende Illustrationen und dicht am Urtext orientierte Übersetzungen, die auf einseitig patriarchale Gottesbilder und -anrede verzichten.
- Rüdiger Pfeffer hat die Erzählungen von Karin Jeromin ins Bild gesetzt: *Komm, freu dich mit mir, die Bibel für Kinder*, hat auf einer der ersten Seiten einen Platz gestaltet für den Namen der Besitzerin/des Besitzers und ist ausgewiesen als ein Geschenk zur Tauferinnerung. Durch die Geschichten führt Wido Wiedehopf, den es auch als Finger- und Handpuppe gibt und auf seine Weise sicher die ganz kleinen Gottesdienstbesucher ansprechen kann, wenn er überzeugend „gespielt" wird.
- Besonders und auf ihre Weise bemerkenswert ist die *Pfälzer Kinderbibel*. Sie ist nicht nur für Kinder, sondern auch von Kindern. Herrliche Bilder und selbst nacherzählte Geschichten überzeugen von der Tatsache, dass Kinder kompetente „Theologen und Theologinnen" sind. In der Auswahl biblischer Geschichten ist z. B. die Taufe des Kämmerers aus Äthiopien interessant illustriert und kommentiert.
- Bilder und Illustrationen haben selbstverständlich auch mit dem persönlichen Geschmack zu tun. Bilder und Gemälde aus der bildenden Kunst hat Rainer Oberthür für seine *Familienbibel* ausgewählt. – Kees de Koort ist in der *Neukirchener Kinderbibel* mit seinen Bild-Klassikern vertreten.
- Im Verlag Junge Gemeinde gibt es *Postkarten*, die von einem Kameruner Künstler gefertigt wurden. Sowohl die Segnung der Kinder als auch die Taufe des Kämmerers aus Äthiopien wenden durch ihr afrikanisches Ambiente den Blick in eine weltweite Ökumene und sind deshalb beachtlich und empfehlenswert.

und die sieben Sachen

Der Mensch lebt nicht vom Brot allein, so heißt es im Matthäusevangelium, aber auch vom Wort Gottes. Das war der Impuls für eine besondere *„Brotbox“*, die Sie zu diesem Buch erwerben können – sie gibt normalerweise her, was uns nährt: Obst, Butterbrote, ein Stück Schokolade oder einen Müsliriegel.

Auch die Taufe ist ein „Lebensmittel“; ihre Bedeutung, ihre Sinnhaftigkeit und ihre Relevanz für Leib und Seele lassen sich anschauen und entdecken, fühlen, schmecken, riechen und sehen. Deshalb ist diese Taufbox gefüllt mit Gegenständen, deren zeichen- und symbolhafter Charakter sich in biblischen Bezügen erschließt:

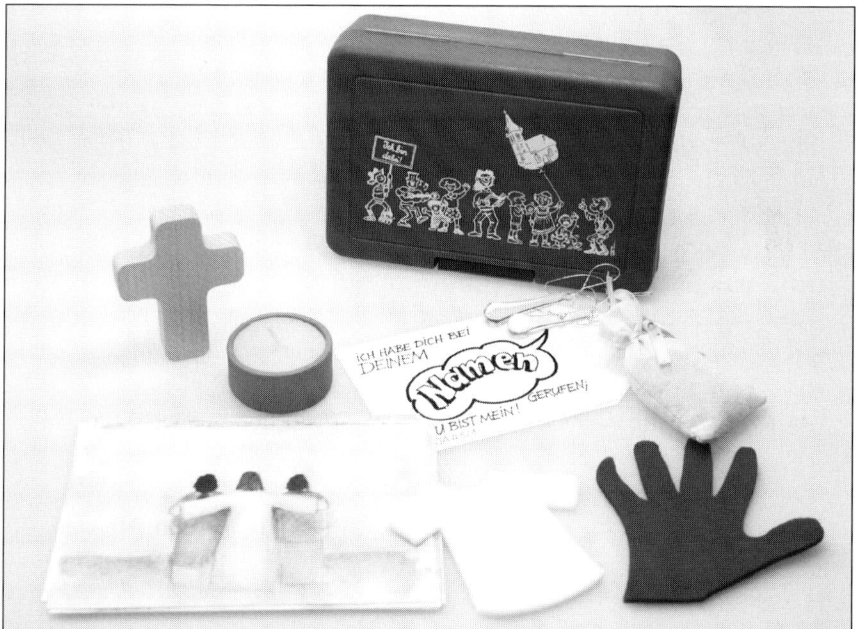

– ein **Namensschild**
Eine gestaltete Vorlage mit dem Wort aus Jesaja 43,1: „Ich habe dich bei deinem Namen gerufen; Du bist mein!“ Die andere Seite zeigt das Wort „Name“ in verschiedenen Sprachen und dient zum Eintrag des Namens. Die Vorlage darf kopiert werden. Weitere Verwendungsmöglichkeiten Seite 41 ff.

– zwei **Glastropfen**
Sie stehen für das Wasser und sind sehr dekorativ. Man kann z.B. die trockenen Äste einer Korkenzieherhaselnuss sehr schön damit behängen. Bei einem Kyrieruf, Klagegebet oder einer Fürbitte wird jeweils ein Glastropfen aufgehängt. Ebenso lassen sich damit eine Danksagung oder Segenswünsche für den Täufling gestalten. Die Glastropfen können in beliebigen Mengen bei beiden Verlagen direkt nachgekauft werden (Stückpreis Euro 1,–). Weitere Hinweise Seite 56 ff.

– eine **Gießkerze**
Sie wird in der Taufbox in einem ansprechenden Tongefäß mitgeliefert. Nach dem vollständigen Abbrennen können auch handelsübliche Teelichter hineingestellt werden. Die Gießkerzen werden – außer in der Box – von beiden Verlagen im Set zu 9 Kerzen für Euro 2,90 angeboten (Höhe ca. 2,5 cm).
Auch damit können Fürbitten oder Dankgebete gestaltet werden. Die Kerzen können – je nach örtlichen Gegebenheiten – auch um das Taufbecken abgestellt oder bei einem liturgischen Tanz mit den Kindern verwendet werden. Dabei ist es empfehlenswert, die Kerze in ein entsprechendes Glasgefäß zu stellen (Vertropfen des Wachses und Gefahr von Verbrennungen bei unvorsichtigem Gebrauch). Weitere Hinweise Seite 66 und 69 ff.

– eine **Hand**
Die Taufbox enthält die Vorlage einer Segenshand aus rotem Filz (9 x 10 cm). Vorlage war die Hand eines Kindes. Weitere Exemplare lassen sich leicht herstellen, z. B. als Erinnerungsgeschenke für die Kinder. Nimmt man verschiedenfarbigen Filz, kann man auch die Verschie-

denheit der Menschen etwas zum Ausdruck bringen. Mit diesen Händen könnte während des Gottesdienstes das Taufbecken außen behängt oder ein Strauch geschmückt werden (Befestigung ist etwa mit einer Sicherheitsnadel oder Doppelklebeband möglich. Man kann den Filz auch lochen). Weitere Hinweise Seite 82 und 87 ff.

– ein **Kleid**
In der Box ist ein Muster aus weißem Filz (7,5 x 8,5 cm). Man kann sich weitere Kleidchen mit diesem einfachen Schnittmuster aus Filz leicht selbst herstellen und sie den Kindern zur Erinnerung mitgeben. Diese Idee lässt sich nicht nur für Taufgottesdienste, sondern z. B. auch bei Tauferinnerungsfeiern verwenden. Das Kleid kann auch eine Einladungskarte zu einer Tauffeier schmücken. Eine Seite des Filzkleides kann auch mit einem passenden Bibelwort (z.B. Galater 3,27) oder einem Segenswunsch beschriftet werden (am besten ein Klebeetikett oder doppelseitiges Klebeband verwenden). Weitere Hinweise Seite 102 f.

– ein **Kreuz**
Ein eindrückliches, geschmackvolles, schlichtes Holzkreuz (Buche, 7,5 cm lang, stehend) wird in der Box geliefert. Es lässt sich auch beschriften, z.B. mit dem Namen „Jesus“ oder dem Namen des Kindes. Diese Kreuze können auch einzeln bei beiden Verlagen bestellt werden (Euro 2,–). Weitere Hinweise Seite 111 ff.

– ein ansprechendes **Säckchen mit Weizenkörnern**
Das Säckchen (ca. 7,5 cm hoch) ist dekorativ mit einem schmalen, grünen Band zugebunden. Es kann den Kindern und Erwachsenen zum Ertasten (mit geschlossenen Augen) in die Hand gelegt werden. Ebenso können dann einzelne Körner verteilt und betrachtet werden. Die Säckchen können auch einzeln zum Preis von Euro 2,– bei beiden Verlagen gekauft werden. Weitere Hinweise Seite 128 ff.

Außerdem sind in der Taufbox die **7 Aquarelle** von Antje Solenski aus diesem Buch als farbiges Postkartenset inklusive einer Karte mit dem Kindergottesdienstlogo enthalten. Alle acht Karten eignen sich gleichermaßen für Bildbetrachtungen und Gespräche. Mögliche Gesprächsimpulse und methodische Anregungen:

- Eine Sprech- oder Denkblase wird an die Figur(en) gelegt oder gemalt, die „gefüllt" werden kann.
- Der Satz „Einer, der ..." kann ergänzt werden.
- Beschreibe, was du siehst.
- Wir stellen uns vor, es ist ein Standbild aus einem Film. Was ist vorher geschehen, was wird noch geschehen?
- Wir finden Titel für das Aquarell.
- Alle Figuren sieht man ausschließlich von hinten. Welche Gesichtsausdrücke, Gemütszustände könnten passen?
- Von allen acht Bildern wird das ausgesucht, was mich am meisten anspricht. Ich kann das begründen.
- Eines der sieben Bilder hat für mich im Augenblick den größten und wichtigsten Zusammenhang ...
  – zur Taufe ... – zum Segen ... – zu meinem Leben ...

Weitere Hinweise zur Arbeit mit den Bildern finden Sie bei den einzelnen Gottesdiensten. Die Bilder sind bei beiden Verlagen als Postkartenset auch außerhalb der Taufbox beziehbar.

Die Inhalte der Taufbox eignen sich gut als Gesprächsimpulse und können bei vielen Gelegenheiten verwendet werden. Man kann in kleinen Gruppen einen Gegenstand als stummen Impuls in die Mitte legen. Man kann ihn bei Taufgottesdiensten mit überschaubaren Teilnehmerzahlen herumreichen und betrachten lassen. Jeder kann gegebenfalls etwas zu dem Gegenstand sagen. Fragen:

- Was verbinde ich damit?
- Welchen Zusammenhang sehe ich mit der Taufe?
- Welchen Wunsch knüpfe ich an diesen Gegenstand für das Taufkind, für mich selbst?

Bei allen Gegenständen ist darauf zu achten, dass Kinder unter drei Jahren die Kleinteile nicht in den Mund nehmen (Gefahr des Verschluckens). Nachbezug einzelner Artikel der Box nur bei beiden Verlagen direkt.

Die Gottesdienste

Der Name

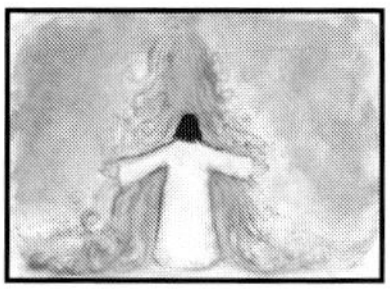

Das Wasser

Das Licht

Die Segenshand

Das Kleid

Das Kreuz

Das Brot

Die liebevolle und zärtliche Geste Jesu
veranschaulicht die Annahme des Menschen durch Gott
und die hingebungsvolle Liebe durch Jesus Christus.

Unsere Namen sind eingetragen im Buch des Lebens,
wir sind in Gottes Armen aufgehoben,
jetzt und in alle Ewigkeit.

Der Name

Ich trage einen Namen

Ich trage einen Namen, bei dem der Herr mich nennt.
Du rufst mich in der Taufe, damit auch ihr mich kennt.

In christlicher Gemeinde mich aufnehmt, wie ich bin,
weil Gott mich angenommen. Gott ruft mich selbst hinein.

So ist es durch die Taufe mit dir und mir geschehn:
Ich darf mit Christus leben und mit ihm auferstehn.

Und weil dich meine Schwäche nicht stört und du mich liebst,
nehm ich auch meinen Nächsten so an, wie du ihn gibst.

So trag ich meinen Namen, bei dem du, Herr, mich nennst,
und weiß, dass du mich immer mit meinem Namen kennst.

T: Rolf Krenzer, M: Peter Janssens. Aus: Ich schenk dir einen Sonnenstrahl, 1985.

Bei der Taufe wird der Name genannt, alle hören, wie der Täufling heißt. Getauft wird dann im Namen des dreieinigen Gottes. Gott kennt uns und ruft uns bei unserem Namen. Werden wir auf Christus getauft, dann heißen wir Christen und tragen Jesu Namen. Der Name ist wichtig, er verleiht mir Identität und Zugehörigkeit.

A ZUSAMMENKOMMEN UND BETEN

▣ Musikalisches Vorspiel

Begrüßung, namentliche Vorstellung des Täuflings,
Willkommen an die Angehörigen

▣ Lied

In Gottes Namen wolln wir finden, was verloren ist
(LfK B 17, LJ 398, MKL1 17)

▣ Eingangsvotum

Liturg/Liturgin:	Im Namen Gottes, des Vaters und des Sohnes und des Heiligen Geistes.
Alle:	Amen.
Liturg/Liturgin:	Unsere Hilfe kommt von Gott,
Alle:	der Himmel und Erde gemacht hat.
Liturg/Liturgin:	Friede sei mit euch.
Alle:	Und mit deinem Geist.

oder:
Im Namen Gottes, er hat uns bei unserem Namen gerufen, wir sind sein. Im Namen Jesu Christi sind wir versammelt hier im Gottesdienst. Im Namen des Heiligen Geistes feiern wir heute zusammen ein Tauffest. Amen.

oder:
Im Namen dessen, der uns bei unserem Namen ruft, im Namen dessen, zu dem Gott bei seiner Taufe sprach: „An Dir habe ich Wohlgefallen!“ und im Namen dessen, der in der Taufe gegenwärtig ist und Gemeinschaft wirkt. Im Namen des Vaters und des Sohnes und des Heiligen Geistes. Unsere Hilfe kommt von Gott, der Himmel und Erde gemacht hat. Amen.

▣ LIED

Wir sind hier zusammen in Jesu Namen

T und M: Verfasser unbekannt.

▣ PSALMGEBET

„Sagt Gott, wie wunderbar. Neue Psalmen für Gottesdienst und Andacht", hrsg. v. Gottfried Mohr und Andreas Weidle, Verlag Junge Gemeinde, 2. Auflage 2007, S. 98. Kehrvers könnte Jesaja 43,1 sein.

Lied

Ein Licht geht uns auf (LfK A 1, LJ 344, KG 25, MKL1 123)

Klage und Lob

Lasst uns beten: Weil du, Gott, uns zusammenrufst, weil du bei uns bist und die Menschen aus aller Welt zusammenbringst, weil du uns in der Taufe beim Namen nennst und kennst, deshalb rufen wir heute zu dir: Erbarme dich.

Lied: Herr, erbarme dich (EG 178.10)

Wir vertrauen dir an, was uns das Herz beschwert,
wo die Welt nicht in Ordnung ist,
wo Unrecht geschieht, sogar in deinem Namen, Gott!
Wir klagen dir die Gewalt in der Welt.
Erbarme dich.

Lied: Herr, erbarme dich (EG 178.10)

Du, Gott bist bei uns, dass wollen wir hoffen und erfahren.
Deine Liebe, oh Gott, ist grenzenlos.
Du nimmst uns alle an und zeigst das besonders deutlich,
wenn wir in deinem Namen Kinder taufen und in deinen Schutz stellen.
Du hörst, wenn wir zu dir rufen.
Erbarme dich.

Lied: Herr, erbarme dich (EG 178.10)

Jesus Christus spricht:
Siehe, ich bin bei euch alle Tage bis an der Welt Ende. Amen.

Lied

Halleluja, preiset den Herrn (LfK B 11; LJ 389)
Wer das Lied kennt, der weiß, dass es – salopp – auch als kirchliches Laurentia (liebe Laurentia mein ...) bezeichnet wird. Warum? Nun, es geht um die Auf- und Niederbewegung. Die Gemeinde kann in zwei Hälften eingeteilt werden. Die eine (Taufsteinseite) Hälfte steht, während

sie „Halleluja“ singt, und setzt sich wieder hin, die andere Seite steht auf, während sie mit „Lobet den Herrn“ antwortet, und setzt sich dann wieder. So ist es ein fröhliches Auf und Ab, das in diesem Gottesdienst mit Namen variiert werden kann, z. B. alle Personen, die einen weiblichen Namen tragen „gegen“ alle mit männlichen Namen; oder alle Namen, die mit a, e, i, o, u beginnen „gegen“ den Rest der Welt.

▣ Gebet

Gütiger Gott,
du hast uns das Leben geschenkt.
In der Taufe wendest du dich uns zu.
Du kennst uns mit unseren Namen.

Wir bitten dich,
hilf uns zu entdecken, wie einmalig wir sind,
wie wunderbar du uns geschaffen hast.

Du, Gott des Lebens,
wir loben dich. Amen.

▣ Lied

Wir singen vor Freude (LfK B 2, LJ 431, KG 188, MKL1 152)

3CD HÖREN UND ANTWORTEN

▣ Lesung

Markus 10,13–16

Und sie brachten Kinder zu ihm, damit er sie anrühre. Die Jünger aber fuhren sie an. Als es aber Jesus sah, wurde er unwillig und sprach zu ihnen: Lasst die Kinder zu mir kommen und wehret ihnen nicht; denn solchen gehört das Reich Gottes. Wahrlich, ich sage euch: Wer das Reich Gottes nicht empfängt wie ein Kind, der wird nicht hineinkommen. Und er herzte sie und legte die Hände auf sie und segnete sie.

▣ Die Segnung der Kinder als Mitmachgeschichte
Tim und seine Freunde – Markus 10,13–16

1. Der Bibeltext Markus 10,13–16 in eigener Übertragung

Einige Leute wollten ihre Kinder zu Jesus bringen, damit er sie berühre; aber seine Jünger fuhren sie an und wollten sie wegschicken. Als Jesus es bemerkte, wurde er zornig und sagte zu den Jüngern: „Lasst die Kinder doch zu mir kommen und hindert sie nicht daran; denn für Menschen wie sie steht das Reich Gottes offen. Ich versichere euch: Wer sich Gottes Reich nicht schenken lässt wie ein Kind, wird niemals hineinkommen." Dann nahm er die Kinder in die Arme, legte ihnen die Hände auf und segnete sie.

2. Regieanweisungen

– ***Rollen:*** *Tim, Jesus, ca. 5 Freunde von Tim, die zu Beginn in der 1. Reihe sitzen, 6–12 Jünger, die von Kindern oder noch besser von Erwachsenen gespielt werden, und 5–20 andere Erwachsene, die die Leute spielen, die Jesus hören wollen.*

– ***Requisiten:*** *Mikrofon, evtl. ein Kassettenrecorder, ein „Fernsehrahmen", durch den der Reporter zu Beginn spricht.*

– ***Kulissen:*** *Ein Stuhl oder Hocker in der Mitte vor dem Abendmahlstisch. Es muss dort genug Platz sein, damit Jesus in der Mitte auf dem Hocker von seinen Jüngern und den übrigen Leuten eng umringt werden kann.*

– ***Hinweise:*** *Der Erzähler berichtet zu Beginn als Fernsehreporter aus dem Fernsehen, hält anfangs einen Fernsehrahmen aus Pappe o. Ä. vor sein Gesicht, durch den er dann spricht. Danach steigt er aus dem Fernsehen in das Live-Geschehen als Reporter ein und improvisiert.*

Diese Geschichte ist besonders für Taufgottesdienste geeignet. Dann sollten die Jünger von den Taufpaten gespielt werden. Bei der Rollenverteilung sollte das Alter von Tim vorher erfragt und entsprechend geändert werden.

Den Jüngern und übrigen Leuten kann vorher erklärt werden, dass sie nachher Jesus in engen Kreisen – erst die Jünger, dann die anderen – umringen sollen, so eng, dass keiner von außen mehr durchkommt. Zu Beginn stehen Tim und Jesus in der Nähe des Reporters, alle anderen sitzen noch auf ihren Plätzen, Tims Freunde allerdings separat und zusammen.

Es ist bei dieser Geschichte auch möglich, auf das „Interview" am Anfang zu verzichten und direkt mit der „Zeitreise-Live-Schaltung nach Jericho" zu beginnen.

3. Die Mitmachgeschichte

Fernsehreporter (diese Einleitung wird vom Reporter durch den Fernsehrahmen gesprochen): Sehr verehrtes Publikum zuhause an den Bildschirmen oder unterwegs am Radio, wir befinden uns in dem kleinen Städtchen Jericho im Jahr 30 unserer Zeitrechnung. Ich möchte Ihnen heute eine besonders wichtige Person aus dem Leben Jesu vorstellen. Es ist der kleine Tim. Eigentlich heißt er gar nicht Tim, sondern Timotheus, aber so nannte ihn keiner seiner Freunde. Obwohl er schon fünf war, nannten ihn alle nur den kleinen Tim.

Interview (der Reporter verwendet dafür sein Mikrofon): Lieber Tim, darf ich dich so nennen? Du lebst in einer Zeit, in der es noch keine Autos gibt, auch keine Roller und noch nicht mal Bobbycars und keine Fernseher oder Computer. Ist das nicht furchtbar langweilig? Was tust du den ganzen Tag? Was hältst du eigentlich von den Erwachsenen? ... *(Tim kann antworten, muss es aber nicht.)*

Tim spielte gerne mit seinen Freunden und wusste schon darüber Bescheid, dass Erwachsene manchmal sehr komisch sein können.

Sehr verehrte Zuschauer, wie wir aus gewöhnlich gut unterrichteten Kreisen wissen, waren in letzter Zeit in Jericho fast alle ziemlich komisch. Denn die Leute regten sich alle über einen Mann auf, der aus dem Ort Nazareth kam und Jesus hieß. *(Reporter geht mit Tim zu Jesus.)*

Dieser Jesus machte Kranke gesund und redete mit den Leuten und erzählte, dass Gott alle Menschen lieb haben würde und dass sie sich deshalb auch alle lieb haben sollten. Uns ist es gelungen, ihn zu einem Interview zu bewegen. *(Ruhig etwas Begeisterung zeigen!)*

(Zu Jesus gewandt:) Hör mal, Jesus. Wen sollen wir denn alle lieb haben, etwa auch Ausländer und die Römer? Wie stellst du dir das vor? Wenn mir einer eine Ohrfeige gibt auf die eine Backe, soll ich dann etwa nicht zurückhauen?

(Zu Tim:) Wie findest du das, Tim?

(Wenn Tim nicht antworten sollte, erklärend zum Publikum:) Tim fand das eigentlich ganz gut, denn wenn sich alle Menschen lieb hätten, dann würde es ja nie mehr Streit geben und keinen Krieg und keinen Ärger.

(Wieder zu Tim:) Und das wäre doch nicht schlecht, oder?

(Zu Jesus:) Was sagen denn die Erwachsenen so über dich, Jesus? Manche Erwachsene sagten damals: Jesus ist der Sohn Gottes. Und andere sagten: Ihr seid ja verrückt! Das sind doch alles nur Märchen, die man über ihn erzählt. Niemand kann über Wasser gehen ohne einzusinken. Und die Kranken, die er geheilt haben soll, wären bestimmt auch ohne ihn gesund geworden.

(Ins Publikum:) Wir machen nun eine Zeitreise-Live-Schaltung nach Jericho: Aus sicheren Geheimquellen unseres Senders haben wir erfahren, dass Jesus heute Nachmittag in diese Stadt kommen wird und auf dem Marktplatz zu den Leuten reden wird. Wir sind dabei und wollen unseren kleinen Stargast Tim und seine Freunde beobachten. Ich sehe gerade, wie Tim zu seinen Freunden läuft und ihnen etwas erzählt. Sie stellen sich zusammen, Tim legt die Hand an den Mund. Wahrscheinlich erzählt er ihnen gerade, dass Jesus kommen würde. Die anderen legen ebenfalls die Hand an den Mund und flüstern aufgeregt miteinander. Wahrscheinlich machen sie gerade einen Plan, um diesen Jesus auch mal zu sehen.

Wir berichten nun direkt vom Ort des Geschehens: Tatsächlich, am Nachmittag kommt Jesus in die Stadt, geht auf den Platz und stellt sich auf ein Podest. Dann redet er zu den Leuten, drum herum stehen seine Jünger in einem engen Kreis. Sie haken sich gegenseitig unter und stehen dicht um Jesus herum, um ihn vor der Menge zu schützen.

Eine kurze Information für unser Publikum: Die Jünger, das ist der Fanclub Jesu, die mit ihm durch die Gegend ziehen und seine Freunde sind. Hinter den Jüngern sehe ich eine zweite Reihe in einem weiteren Kreis, lauter Leute, die Jesus zuhören. Sie haben sich an den Händen gefasst und stehen rund um die Jünger herum. Da kommen aber auch schon Tim und seine Freunde an. Leider sind nun schon viele andere Menschen da, so dass Tim und seine Freunde offensichtlich nichts sehen können, was eigentlich ziemlich gemein ist. Denn immer werden die Erwachsenen bevorzugt!

„Ich will zu Jesus!“, sagt Tim laut, aber die Erwachsenen sehen ihn nur böse an, legen ihre Finger auf den Mund und machen: „Psst, du siehst doch, dass das nicht geht. Es sind zu viel Leute hier. Und die Jünger da vorne lassen doch keinen durch! Sei still, wir wollen zuhören!“

(Reporter geht wieder auf Tim und seine Freunde zu.) Was wollt ihr tun, um Jesus zu sehen? *(Mögliche Antwort abwarten.)*

Nun, Tim denkt: „Ich bin schon fünf und das wollen wir doch mal sehen!“ Und er zwängt sich zwischen den Beinen der ganzen Erwachsenen durch nach vorne. Seine Freunde folgen ihm und versuchen ebenfalls, sich hindurchzuzwängen. Doch keiner kommt weiter als bis zu den Jüngern. Die stehen einfach zu dicht und halten sie fest und schimpfen: „Wo wollt ihr denn hin?! Stört unseren Meister nicht! Geht zu euren Eltern! Das hier ist eine Erwachsenenveranstaltung!“

Doch Jesus scheint sie gehört und gesehen zu haben, denn er zeigt auf sie und ruft ziemlich laut, so dass alle es hören: „Lasst die Kinder zu mir kommen! Haltet sie nicht auf! Denn ihnen gehört das Reich Gottes!“ Dann winkt er ihnen, dass sie zu ihm kommen sollen. Und die Großen machen tatsächlich Platz. Die Kinder verstehen zwar nicht so ganz, was Jesus meint, aber sie finden es toll, dass sie nun zu ihm gehen können. Außerdem hat dieser Jesus freundliche Augen. Als sie dann endlich bei ihm sind, nimmt Jesus ein ganz kleines Kind auf seine Arme und streichelt es. Und dann sagt er etwas zu den Erwachsenen: „Wenn ihr euch das Reich Gottes nicht wie Kinder schenken lasst, werdet ihr nicht hineinkommen!“

Jesus will uns also etwas schenken! Das klingt gut. Nur, was soll das sein, das Reich Gottes?! Es scheint aber etwas ganz Besonderes zu sein, denn Jesus legt nun allen Kindern nacheinander seine Hand auf den Kopf und sagt: „Gott wird immer bei euch sein und auf euch Acht geben. Glaubt mir, Gott hat euch lieb!“ *(Abwarten, was geschieht! Wenn Jesus segnet, bitte nicht unterbrechen!)*

Dann gehen alle nach Hause zu ihren Eltern. Einige Erwachsene aus Jericho berichten, Jesus habe die Kinder gesegnet. Und unser Reportage-Team berichtet: Alle Leute im Dorf machen heute einen ziemlich frohen Eindruck. Niemand regt sich über Kinder auf und keiner schimpft sie an diesem Tag. Wir schalten deshalb jetzt um zu unserer Schlagerparade zum Mitmachen und beginnen mit dem Karaoke-Hit des Tages …

(Hier folgt nun ein geeigneter und erprobter Kinderhit, sonst muss der letzte Satz wegfallen, z.B. „Gott hat alle Kinder lieb“, aus: Peter Böhlemann: Das Liederbuch. Lieder zwischen Himmel und Erde, Düsseldorf 2006.)

Lied

Lasst die Kinder zu mir kommen

Wir wollen heute N. N. in die christliche Gemeinde aufnehmen, ihn im Namen Gottes, des Vaters und des Sohnes und des Heiligen Geistes, taufen und ihm Paten zur Seite stellen.

▣ LESUNG

nach Matthäus 28,18–20

Mir ist gegeben alle Macht im Himmel und auf Erden. Darum geht hin in alle Welt und gewinnt die Menschen aller Völker für meine Sache: Tauft sie im Namen des Vaters und des Sohnes und des Heiligen Geistes; helft ihnen so zu leben, wie ich es euch gezeigt habe. Und denkt daran: Ich bin bei euch alle Tage bis an der Welt Ende.

Lied

Gehet hin in alle Welt

EG 201. T: Taufbefehl Matthäus 28,19. M: Arbeitsgemeinschaft Ökumenisches Liedgut.

▣ Glaubensbekenntnis

„Reise des Lebens":

Gott hat uns beim Namen gerufen – wir gehören durch die Taufe zu ihm. Mit dieser Zusage können wir getrost durchs Leben reisen.

Dazu werden Kofferanhänger (siehe Taufbox) ausgemalt und der eigene Name wird eingetragen. Kinder gestalten dies während der folgenden Ansprache.

▣ Kurze Ansprache, z. B.

– zum Namen des Kindes und dessen Bedeutung;
– zur Bedeutung, nach der Taufe Christ/Christin zu heißen;
– zu Jesaja 43,1–3 ff.;
– zum Lied *Nun schreib ins Buch des Lebens* (EG 207).

Zur Kurzansprache:

Ganz häufig haben Namen ihre Bedeutung aus fremden, meist alten Sprachen. Ungeahnt oft sind sie sogar mit christlicher Bedeutung versehen. Namen erzählen mitunter ganze Geschichten. Kinder und Jugendliche tragen solche Namen heutzutage, z. B. Niklas, Justus, Christoph, Benjamin, Johannes, David und Lukas, Hanna, Dorothea, Sara, Marie und Christine. Ich heiße Kerstin, das ist schwedisch und bedeutet: Christin.

Wer getauft ist, heißt Christ, das bedeutet zu Christus zu gehören, auf seinen Namen getauft zu sein. Getaufte sind eine Gemeinschaft von Christen. Ganz gleich, wie das geschrieben wird, egal in welcher Sprache das klingt, in Afrika und Asien, in allen Kontinenten, weltweit heißen auf Christus getaufte Menschen Christen.

Durch die Taufe erhält man die Bezeichnung: Christ/Christin. Unsere Identität hat einen neuen Namen bekommen. Wir heißen Christen, das Namensschild weist das aus. Gott hat uns beim Namen gerufen und uns in der Taufe persönlich angesprochen, wir gehören zu ihm. Das zeichnet uns aus. Mit der Taufe und mit unserem Namen sind wir unterwegs auf Lebensreise. Taufe und Name sind anvertraute „Gepäckstücke", die wir mit uns tragen und behalten, jetzt und in alle Ewigkeit.

▣ Lied

▣ Tauffragen

Ihr, liebe Eltern und Paten, habt zusammen die Entscheidung getroffen, dass N. N. heute getauft wird.

Deshalb frage ich euch vor Gott und der Gemeinde: Wollt ihr, Eltern und Paten, dass N. N. im Namen Gottes, des Vaters und des Sohnes und des Heiligen Geistes, getauft wird, so antwortet gemeinsam:
Eltern und Paten: *Ja!*

(Pause)

Wollt ihr, Eltern und Paten, N. N. unterstützen, von Gott zu hören und ihm helfen, in der Kirche ein Zuhause zu finden, so antwortet gemeinsam:
Eltern und Paten: *Ja, mit Gottes Hilfe.*

(Pause)

Und ihr, liebe Gemeinde, Erwachsene und Kinder, wollt ihr auch, dass N. N. in die Gemeinschaft aufgenommen wird, und wollt ihr dazu beitragen, dass er/sie durch euch von Jesus Christus erfährt, so antwortet alle:
Gemeinde: *Ja, mit Gottes Hilfe.*

Ich bitte N. N., seine Eltern (mit Geschwistern und allen Kindern, die zuschauen möchten) und seine/ihre Paten zum Taufbecken.

N. N., ich taufe dich im* Namen des Vaters *(Übergießen mit Wasser)*
und des Sohnes *(Übergießen mit Wasser)*
und des Heiligen Geistes *(Übergießen mit Wasser)*. Amen.

Nimm hin das Zeichen des Kreuzes [+]. Du gehörst zu Christus dem Gekreuzigten und Auferstandenen.
Dein Taufspruch lautet (z. B.): „Fürchte dich nicht, ich habe dich erlöst, ich habe dich bei deinem Namen gerufen, du bist mein (Jesaja 43,1–3 ff.)."

Friede sei mit dir.

▣ Taufkerze und Elternsegen

Jesus Christus spricht: Ich bin das Licht der Welt.
Und er sagt zu uns: Ihr seid das Licht der Welt.

Mit euch Kindern ist Licht hineingekommen in die Welt.
Durch euch können Dunkelheiten erhellt werden.
Dafür stehen diese Kerzen.

Die Taufkerze wird an der Altarkerze entzündet und den Eltern gegeben.

Der Segen Gottes komme über euch und bleibe bei euch
von nun an bis in Ewigkeit. Amen.

ABCD BITTEN UND SEGNEN

▣ Lied, Kollekte, Fürbitte

Gott, du kommst in die Zeit.
So hast du alles, was lebt, befreit.
Deine Gnade kann uns Flügel verleihen,
Berge von Schuld zu überwinden und zu verzeihen.

Durch die Taufe schenkst du Gemeinschaft und Leben.
Durch die Taufe bringst du Heil und Vergeben.
Du hast uns bei unserem Namen gerufen,
hast uns zum Leben und zu(r) Zukunft berufen.

Gott, du überwindest das Leid.
So machst du alles durch Liebe bereit.
Du hast Todesnächte und Dunkel erhellt.
Auf dem Weg ins Licht können wir sehn: Du hältst die Welt.

Gott, du bist da, du bist nah.
Du bist, der da kommt, der da ist, der da war.
Durch die Taufe ziehst du uns ganz zu dir hin.
Du schenkst Fülle, gibst unserem Glauben den Sinn.

Sterben bedeutet: Abschied auf Erden und gehn.
Doch du, Gott, willst, dass wir leben, dich sehn.

▣ Vater unser

▣ Lied

Und Gott segne dich, N. N., und Gott segne dich, N. N.,
und Gott segne dich, N. N., nehmt den Segen mit nach Haus …
Jedes Kind tritt mit Namensschild vor, nennt seinen Namen und wird mit Auflegen der Hände gesegnet.

Auf die Melodie von „Kumbaya, my Lord“ werden der Reihe nach alle Namen der im Gottesdienst Anwesenden genannt (erfragt) und „besungen“; z. B.: Und Gott segne dich, Sabine, und Gott segne dich, Elisabeth, und Gott segne dich, Hubert, nehmt den Segen mit nach Haus. Und Gott segne dich, Martin, und Gott segne dich, Johanna, und Gott segne dich, Friedrich, nehmt den Segen mit nach Haus usw. Wird auch bei vielen Strophen nicht langweilig, braucht nur etwas Zeit.

▣ Segen

▣ Musikalisches Nachspiel

Weitere Liedvorschläge

Du hast uns, Herr, gerufen	EG 168, LJ 112, MKL1 8
Gott, Vater, du hast deinen Namen	EG 208
In Gottes Namen wolln wir finden, was verloren ist	LfK B 17, LJ 398, MKL1 17
Ja, Gott hat alle Kinder lieb	LJ 572, MKL1 20
Kind, du bist uns anvertraut	EG-RWL 596, LJ 401, MKL1 89
Lass uns in deinem Namen, Herr	EG-RWL 658, LJ 585
Nun schreib ins Buch des Lebens	EG 207

Kreative Ideen

Poster: Der Täufling bekommt ein Poster (Plakatkarton), darauf steht das Datum, der Taufspruch und alle unterschreiben mit ihrem Namen.

Tauferinnerungsbuch: Jede/-r Gottesdienstbesuchende erhält ein Blatt Papier (DIN-A4 oder DIN-A5). Er/sie kann dort einen Wunsch oder eine Segensbitte aufschreiben, (wer mag) namentlich kennzeichnen. Die Blätter werden zu einem Tauferinnerungsbuch zusammengeheftet, mit einem Deckblatt versehen und überreicht.

Luftballonaktion: Ein Luftballon mit Gas gefüllt erhält eine Schnur, an die alle Gottesdienstbesuchenden einen Zettel mit ihrem Namen heften (das kann auch das Namensschild aus diesem Gottesdienst sein). Auf dem Ballon steht der Name des Täuflings. Mit einer Bitte um den Segen lässt man den Ballon steigen:

> *Liturgin/Liturg:*
> Gott, zu dir empor steigt die Bitte um Segen für alle,
> die im Gottesdienst sind,
> und für alle, deren Namen wir dir
> in einem Moment der Stille nennen.

Drachenaktion: Eine Alternative könnte sein – je nach Witterung und Jahreszeit –, einen Drachen steigen zu lassen.

Namensschild: Oder alle gestalten sich ein Namensschild (s. Muster in der Taufbox zu diesem Buch).

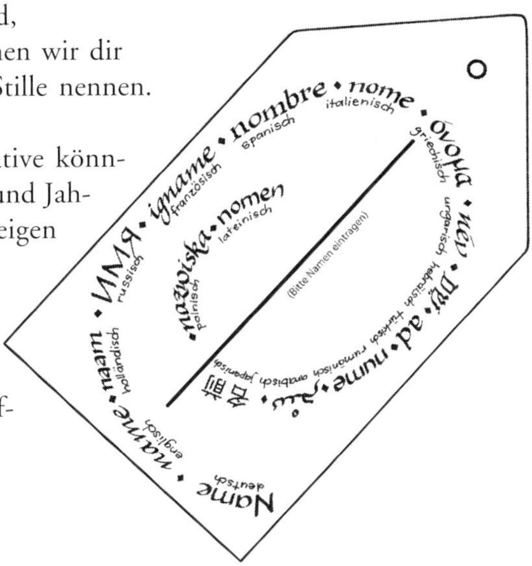

Kreuzworträtsel: Der Name des Täuflings wird mit den anderen Namen der Kinder (oder allen) vernetzt wie in einem Kreuz(!)worträtsel.

					J	U	D	I	T	
				M	**O**	N	I	K	A	
			A	C	**H**	I	M			
				H	**A**	N	N	A		
				A	**N**	D	R	E	A	S
A	L	E	X	A	**N**	D	E	R		
		P	E	T	**E**	R				
		I	R	I	**S**					

Kette: Der Täufling erhält eine Kette (Lederband) mit Holzbuchstaben seines Namens.

Anfangsbuchstaben: Die großen Kinder im Gottesdienst überlegen sich während der Predigt Wünsche für den Täufling nach den Anfangsbuchstaben seines Namens, z. B.: „Mia“: Mut, Intelligenz, Ausdauer.

MIA: MUT – INTELLIGENZ – AUSDAUER

Postkarte: Die Postkarte mit dem Aquarellbild von Jesus, der die beiden Menschen im Arm hält, wird (auf OHP-Folie betrachtet, als Fotokopie verteilt) vergrößert bzw. die Umrisse auf einen großen Plakatkarton skizziert. Die Gottesdienstbesuchenden tragen ihre Namen auf die Rücken der im Arm Gehaltenen ein.

Kopiererlaubnis mit freundlicher Genehmigung des Westfälischen Verbandes für Kindergottesdienst.

Überschwänglich quillt das Wasser wie ein Wasserfall
vom Himmel herab auf Jesus Christus selbst.

Kinder haben in diesem Bild Mose und
den Durchzug durch das Schilfmeer erkannt.
Die vernichtende, zerstörerische Kraft des Wassers und
die lebensnotwendige, unverzichtbare kommen darin zum Ausdruck.

Die Verbindung zur Flutgeschichte und
zum Durchzug durchs Schilfmeer
erinnert an die alten Glaubensgeschichten,
in denen wir tief verwurzelt sind.

Das Wasser

Wasser ist Leben. Gott will es geben

1. Auf der Suche nach dem Leben
lasst uns zu dem Brunnen gehen.
Was die Menschen dort erleben,
kann auch unter uns geschehen.
Wasser ist Leben. Gott will es geben.
Und aus der Ferne kommt er zu mir.

2. Auf der Suche nach dem Leben
lasst uns in den Brunnen sehen.
Was die Menschen dort erleben,
kann auch unter uns geschehen.
Wasser ist Leben. Gott will es geben.
Und in der Tiefe ist er mir nah.

3. Auf der Suche nach dem Leben
lasst uns bei dem Brunnen bleiben.
Was die Menschen dort erleben,
kann auch unsre Angst vertreiben.
Wasser ist Leben. Gott will es geben.
Und in der Nähe spricht er mich an.

4. Auf der Suche nach dem Leben
lasst uns an den Brunnen denken.
Was die Menschen dort erleben,
kann auch uns Vertrauen schenken.
Wasser ist Leben. Gott will es geben.
Und in die Weite geht er mit dir.

5. Auf der Suche nach dem Leben
wird uns Gott am Brunnen stärken.
Er allein kann Leben geben.
Hilf uns, Gott, dass wir es merken.
Wasser ist Leben. Gott will es geben.
Und für das Leben danke ich dir.

T: R. Bäcker, M: Detlev Jöcker. Aus: Heut ist ein Tag, an dem ich singen kann.

Klar, ohne Wasser gibt es kein Leben, wir brauchen es. Es ist sichtbares, spürbares und hörbares Zeichen für Gottes Liebe und Gnade. Das Reinwaschen von Sünden gehört mit in die Gedanken. Durch Unter- und Auftauchen wurde (und wird in einigen Fällen noch heute) deutlich: Ich bekomme durch die Taufe Anteil an Jesu Tod und Auferstehung.

ABCD ZUSAMMENKOMMEN UND BETEN

Musikalisches Vorspiel

Begrüßung, namentliche Vorstellung des Täuflings,
Willkommen an die Angehörigen

Lied

In Gottes Namen wolln wir finden, was verloren ist (LfK B 17, LJ 398, MKL1 17)

Eingangsvotum

Liturgin/Liturg: Im Namen Gottes, der Quelle des Lebens,
im Namen Jesu Christi, des lebendigen Wassers,
im Namen des Heiligen Geistes, des Brunnens des Heils,
im Namen des Vaters und des Sohnes und
des Heiligen Geistes.

Alle: Amen.

Lied

Psalmgebet

nach Psalm 36 mit Kehrvers von EG 277

Alle: Herr, deine Güte reicht, so weit der Himmel ist,
und deine Wahrheit, so weit die Wolken gehen.

Dass es gerecht zugeht in der Welt,
ist dein größter Wunsch, Gott.
Mit riesigen Buchstaben
würdest du es am liebsten in die Welt schreiben,
mit Buchstaben so groß, wie die größten Berge.

Deine Güte reicht, so weit der Himmel ist,
deine Wahrheit, so weit die Wolken gehen.

Alle: Herr, deine Güte reicht, so weit der Himmel ist,
und deine Wahrheit, so weit die Wolken gehen.

Du breitest deine Flügel aus über allen,
die bei dir Schutz suchen.

In deinem Schatten finden sie Zuflucht
und können aufatmen.

Deine Güte reicht, so weit der Himmel ist,
deine Wahrheit, so weit die Wolken gehen.

Alle: Herr, deine Güte reicht, so weit der Himmel ist,
und deine Wahrheit, so weit die Wolken gehen.

Satt sollen sie alle werden,
von den reichen Gütern der Welt.

Ein großer Strom der Lebensfreude
soll ihren Durst stillen.

Deine Güte reicht, so weit der Himmel ist,
deine Wahrheit, so weit die Wolken gehen.

Alle: Herr, deine Güte reicht, so weit der Himmel ist,
und deine Wahrheit, so weit die Wolken gehen.

Bei dir ist die Quelle, aus der neues Leben fließt.
Mit deinem Licht entdecken wir die Hoffnung neu.

Deine Güte reicht, so weit der Himmel ist,
deine Wahrheit, so weit die Wolken gehen.

▣ Lied

Der Himmel geht über allen auf
(EG-RWL 611, LJ 364, MKL1 7)

oder:
Psalm 1 (im Wechsel)
Wohl dem, der nicht wandelt im Rat der Gottlosen
noch tritt auf den Weg der Sünder
noch sitzt, wo die Spötter sitzen,

sondern hat Lust am Gesetz des Herrn
und sinnt über seinem Gesetz Tag und Nacht!

Der ist wie ein Baum, gepflanzt an den Wasserbächen,
der seine Frucht bringt zu seiner Zeit,

und seine Blätter verwelken nicht.
Und was er macht, das gerät wohl.

Aber so sind die Gottlosen nicht,
sondern wie Spreu, die der Wind verstreut.

Darum bestehen die Gottlosen nicht im Gericht
noch die Sünder in der Gemeinde der Gerechten.

Denn der Herr kennt den Weg der Gerechten,
aber der Gottlosen Weg vergeht.

oder eine Übertragung, z. B.:
Ein Gruß den Kindern,
die aus der Reihe tanzen,
und nicht nur das sagen, was Erwachsene hören wollen,
sondern sagen, was sie denken
und selbst nach Gottes Willen fragen.

Ein Gruß den Kindern,
die Widerworte wagen
und nicht Sprücheklopfer wiederholen,
sondern ihre Ohren öffnen für neue Worte.

Ein Gruß den Kindern,
die in guter Hoffnung leben
und nicht langweilig und gelangweilt dasitzen,
sondern von Gott Überraschungen erwarten.

Die sind
wie Bäume am Bachufer,
die unter grünen Blättern Frucht bringen,
und ihre Spuren wird der Wind nicht verwehen.

Die sind
Menschen in Gottes Hand
und werden ein Beispiel der Hoffnung sein für viele,
die für sich und diese Erde nichts mehr erwarten.

Halleluja. Amen.

▣ Klage und Lob

Am Taufbecken ist ein Strauß mit Ästen einer Korkenzieherhaselnuss aufgestellt. Bei jeder Klage darf ein Kind einen Glastropfen an einen Zweig hängen. Es können eventuell eigene Klagen formuliert werden.
Lasst uns beten. Gott, manchen Menschen steht das Wasser bis zum Hals und sie haben das Gefühl zu ertrinken. Sei ihre Rettung und höre, wenn wir rufen: Herr, erbarme dich.

Alle: Herr, erbarme dich.

Gott, es gibt so viel Wüste und Öde ohne Wasser und Leben. Wir wünschen genug Wasser, dass alle zu trinken haben, hilf uns!
Christus, erbarme dich.

Alle: Christus, erbarme dich.

Du, Gott, bist die Quelle des Lebens, du kommst uns mit deiner überströmenden Liebe entgegen. Hilf, dass wir das spüren und glauben können. Herr, erbarme dich.

Alle: Herr, erbarme dich.

Jesus Christus spricht (Johannes 7,38): Wer an Gott glaubt, von dem werden Ströme lebendigen Wassers ausgehen. Amen.

oder:
Gottes Brünnlein hat Wassers die Fülle. Halleluja und Amen.

▣ Lied

Als Lob können ebenfalls Glastropfen aufgehängt werden.

Gott, du hast das Wasser geschaffen,
damit die Pflanzen wachsen und gedeihen,
damit die Tiere und Menschen ihren Durst stillen können.

Wir preisen dich, denn du bist gut.

Gott, du lässt die Quellen sprudeln,
damit sie uns erfreuen, erfrischen und beleben,
damit Flüsse und Meere sich erneuern.

Wir preisen dich, denn du bist gut.

Gott, du hast dem Menschen Erfindungsreichtum gegeben,
damit er die Kraft des Wassers bezähmen kann,
damit er Felder bewässern und Städte mit Wasser versorgen kann.

Wir preisen dich, denn du bist gut.

Gott, das Wasser ist ein Zeichen für den überströmenden Reichtum
deiner Liebe, danke, dass deine Güte und Liebe allen Menschen gilt,
danke, dass sie uns im Wasser der Taufe geschenkt ist,
als Quelle, von der wir immer trinken können.

Wir preisen dich, denn du bist gut.

▣ Gebet

Barmherziger, gütiger Gott, du hast dich den Menschen zugewandt und bist als Kind zu uns in die Welt gekommen.
Lass uns in diesem Gottesdienst deine Anwesenheit spüren, wenn wir uns an unsere eigene Taufe erinnern und ein Kind in die Mitte unserer Gemeinschaft aufnehmen.
Mach, dass unser Tun und Singen dir zum Lob und zur Ehre gereichen.
Das bitten wir durch Jesus Christus, unseren Herrn. Amen.

▣ Lied

Wir singen vor Freude (LfK B 2, LJ 431, KG 188, MKL1 152)

HÖREN UND ANTWORTEN

- **Lesung**
  Markus 10,13–16 (vgl. Seite 29)

- **Lied**
  Wir wollen heute N. N. in die christliche Gemeinde aufnehmen, ihn im Namen Gottes, des Vaters und des Sohnes und des Heiligen Geistes, taufen und ihm Paten zur Seite stellen.

- **Lesung**
  Matthäus 28,18–20 (vgl. Seite 35)

- **Glaubensbekenntnis**

- **Kurze Ansprache, z. B.**
  – Seit dem Tsunami und anderen Flutkatastrophen ist die zerstörerische Kraft des Wassers wieder neu im Bewusstsein von uns Menschen, stärker denn je. Das Untertauchen in das Wasser und Wiederauftauchen, das heute nur noch selten bei Taufen praktiziert wird, versinnbildlicht und bedeutet die Teilhabe an Christi Tod und Auferstehung …
  Bei einer Taufansprache braucht man nicht verwässern, dass es um Tod und Ewiges Leben geht. Dass auch Blümchen Wasser zum Leben brauchen, ist ein schöner Anknüpfungspunkt, aber nicht zentrale Aussage der Ernsthaftigkeit von Taufe.
  – Eine Rose von Jericho kann betrachtet werden. Sie wächst rosettenartig und rollt sich bei Trockenheit zu einem Ball zusammen. Bei Befeuchtung entrollt sie sich rasch wieder – man kann dabei zusehen (Römer 6,3–11).

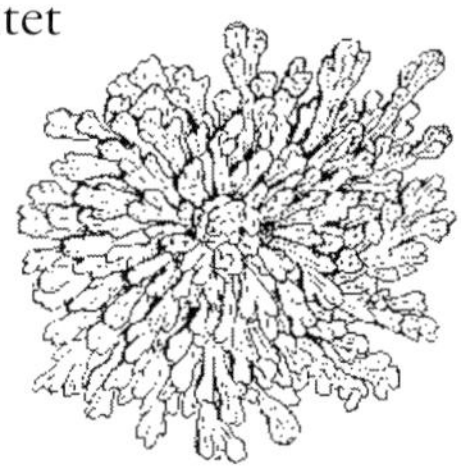

(Zu beziehen u. a. beim Verlag Junge Gemeinde, Postfach 100355, 70747 Leinfelden-Echterdingen, Internet: www.junge-gemeinde.de, E-Mail: vertrieb@junge-gemeinde.de).
- Wasser kann gefühlt, erlebt und betrachtet werden, ja auch getrunken!
- Eine Wassermeditation (Idee Bernd Henseler, Westf. Verband für Kindergottesdienst) – auch möglich als Psalmgebet und Teil einer Ansprache.

▣ Wassermeditation

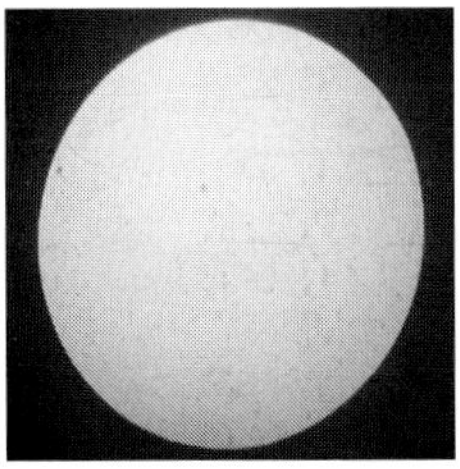
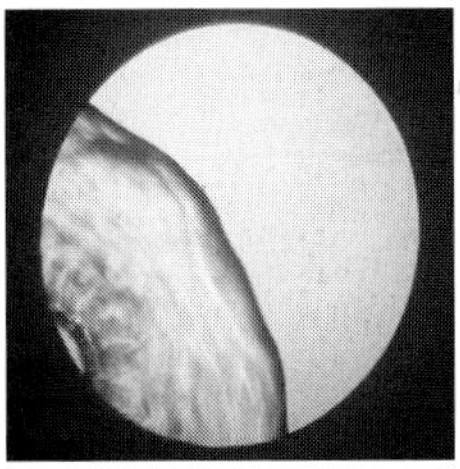
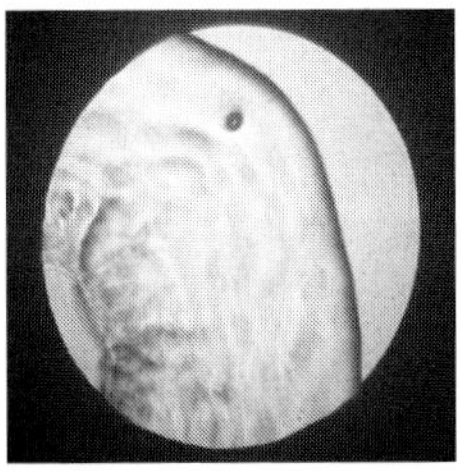
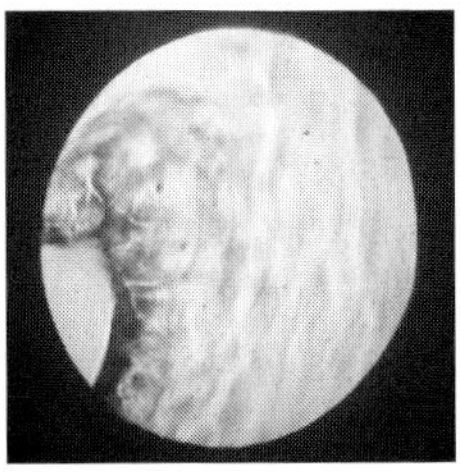

Die Bilder werden von einem Overheadprojektor, auf dem eine runde Glasschale steht, für alle sichtbar auf die Leinwand geworfen. Die Begleitmusik kann vom Band (z. B. Wassermusik von Händel oder die Moldau von Smetana) eingespielt oder selbst gemacht werden. Hier die einzelnen Szenen mit Sprechertexten und Regieanweisungen:

Bild leuchtet auf. Wasser wird in eine Schale gegossen; warten, bis es sich beruhigt hat; (Flöten-)Musik setzt ein.

1. Wasser leicht bewegen, Musik etwas leiser.
Sprecherin/Sprecher: Guter Gott, du Schöpfer des Himmels und der Erde, du lässt Quellen entspringen und zu Bächen werden, zwischen den Bergen suchen sie sich ihren Weg.

2. Wasser stärker bewegen.
Sprecherin/Sprecher: Sie dienen dem Wild als Tränke, Wildesel löschen dort ihren Durst. An den Ufern bauen die Vögel ihre Nester, aus dichtem Laub ertönt ihr Gesang.

3. *Einzelne Wassertropfen in die Schale fallen lassen.*
Sprecherin/Sprecher: Vom Himmel schickst du den Regen herab; so sorgst du dafür, dass die Erde sich

satt trinkt. Du lässt Gras wachsen für das Vieh und Pflanzen, die den Menschen Nahrung gibt. Auch die großen Bäume trinken sich satt.

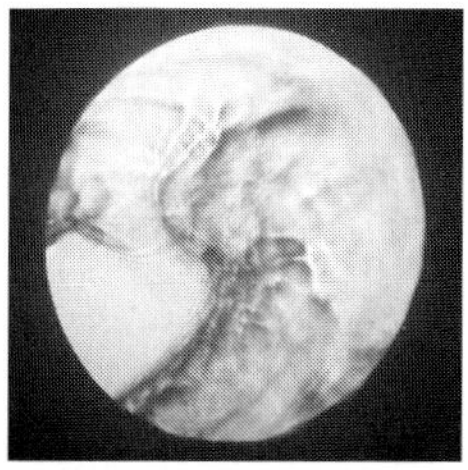

4. *Tinte mit Pipette von zwei Seiten einspritzen; Bild einen Augenblick wirken lassen; Musik kräftiger / lauter, während das Bild entsteht.*
Sprecherin/Sprecher: Wasser ist der Urstoff des Lebens.

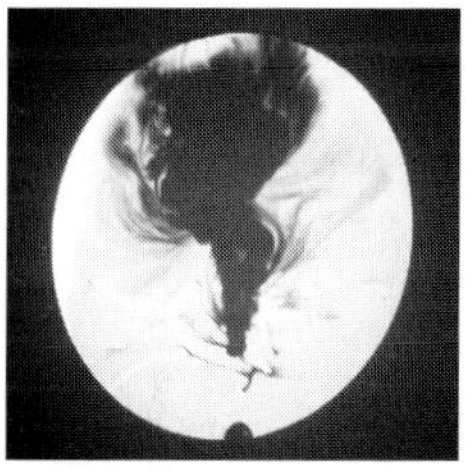

5. *Die „Tinten-Wolken" in leichter Bewegung halten; gegebenenfalls nachfärben; Musik wieder leiser.*
Sprecherin/Sprecher: Guter Gott, du Hüter und Beschützer deiner Kinder; in der Wüste gabst du deinem Volk zu trinken; aus hartem Gestein brachen Bäche hervor und stürzten mit mächtigem Schwall herab.

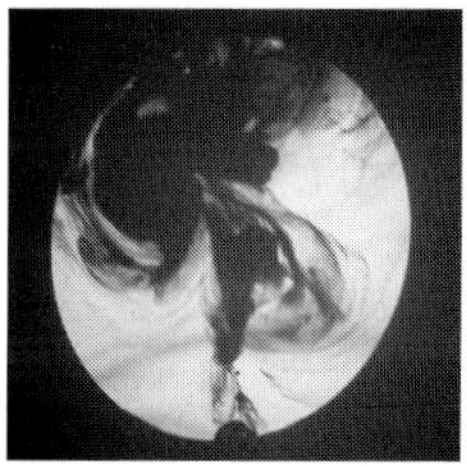

Bild zur Ruhe kommen lassen.
Sprecherin/Sprecher: An lebensbedrohenden Orten ließest du Brunnen entstehen und gabst deinem Volk frisches, Mut machendes Wasser, Wasser des Lebens.

6. *Einzelne Öltropfen auf das Wasser fallen lassen; Musik etwas verzerrt oder einzelne schrille Töne (Schlagzeug?).*
Sprecherin/Sprecher: Doch was haben wir aus deiner Schöpfung gemacht?

Eine schwarze Tintenwolke sich ausbreiten lassen; möglich, aber nicht zwingend nötig: einen selbst gemalten Fisch unter das Glas schieben.
Sprecherin/Sprecher: Was haben wir mit dem Wasser getan? Bäche und Flüsse transportieren Abfälle und Gifte, aus dem Wasserhahn kommt aufbereitetes Wasser, damit es für uns verträglich ist. Viele tausend Tiere sterben in den Meeren an dem, was wir Menschen einleiten, damit es uns nicht schädigt.

Wasser bewegen, damit es sich schneller klärt; Musik ausblenden, ein Moment Ruhe; OHP aus, Schale austauschen und Folie entfernen; in der zweiten Schale ist klares Wasser; OHP an; Musik setzt wieder ein.

7. Wasser in Bewegung halten; Musik fröhlich ... bis zum Ende der Meditation.
Sprecherin/Sprecher: Und dennoch entspringen immer wieder frische Quellen, geben Brunnen kühles, erfrischendes Wasser. Wasser – ein Zeichen deiner Güte und grenzenlosen Barmherzigkeit. Ein Zeichen, dass wir neu werden können; ein Zeichen, dass wir nicht verloren sind.

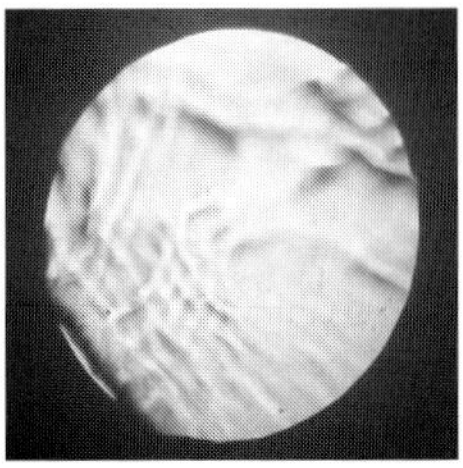

8. *Klares Wasser hinzugießen.*
Sprecherin/Sprecher: Wasser – ein Zeichen der Taufe. Gott, du sprichst zu uns durch das Wasser. Du machst mich rein.

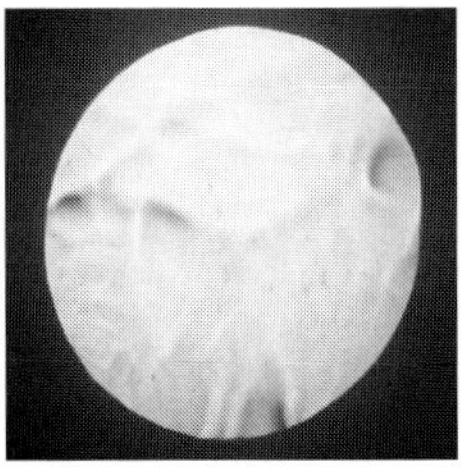

Zum Beispiel Folie mit Fischen einschieben.
Sprecherin/Sprecher: Du wäschst die Spuren des Todes, der Zerstörung von mir ab. Du weckst mich zu neuem Leben, wie der Regen Leben weckt in der Wüste. Meine Zerstörungskraft soll untergehen, herauskommen soll der neue Mensch, der sich von dir geliebt weiß und selber alles Lebendige liebt.

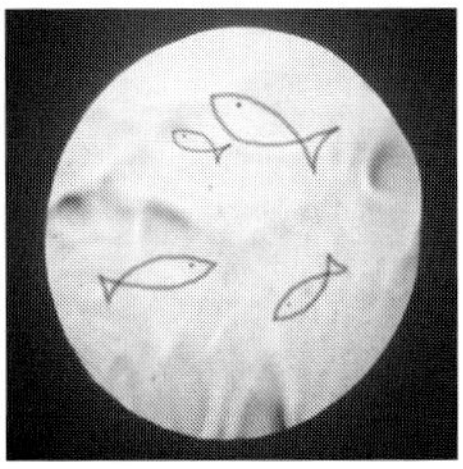

9. Zum Beispiel den Rand des Bildes mit Gräsern schmücken.
Sprecherin/Sprecher: Guter Gott, zeige uns den Fluss mit dem kristallklaren Wasser des Lebens, der an deinem Thron entspringt und an dessen Ufern Bäume wachsen, die jährlich zwölfmal Frucht bringen.

Wasser leicht bewegen, OHP aus; Musik blendet aus.
Sprecherin/Sprecher: Gott, deine Einladung gilt, du rufst uns zu: Wer durstig ist, soll kommen, und wer von dem Wasser des Lebens trinken möchte, wird es geschenkt bekommen. Amen.

- Lied

- Tauffragen (siehe Seite 38)

- Taufkerze und Elternsegen

ABCD Bitten und Segnen

- Lied, Kollekte, Fürbitte, Vater unser

- Lied

- Segen

Gott segne dich!
Er erfülle deine Füße mit Tanz
und deine Arme mit Kraft.
Er erfülle dein Herz mit Zärtlichkeit
und deine Augen mit Lachen.
Er erfülle deine Ohren mit Musik
und deine Nase mit Wohlgerüchen.
Er erfülle deinen Mund mit Jubel
und dein Herz mit Freude.

Er schenke dir immer neu
die Gnade der Wüste:
Stille, *frisches Wasser*
und neue Hoffnung.
Er gebe uns immer neu die Kraft,
der Hoffnung ein Gesicht zu geben.

Es segne und behüte uns Gott,
der allmächtige und barmherzige,
der Vater, der Sohn
und der Heilige Geist.
Amen.

Aus Afrika. Quelle unbekannt.

- Musikalisches Nachspiel

Weitere Liedvorschläge

Ich bin getauft auf deinen Namen	EG 200
Ich singe dir mit Herz und Mund	EG 324
Lobe den Herren, den mächtigen König der Ehren (bes. Strophe 4: *Ströme der Liebe …*)	EG 317
Nun schreib ins Buch des Lebens	EG 207
Wasser vom Himmel	MKL2 113
Wir singen vor Freude	LK B 2, LJ 431, KG 188, MKL1 152
Wo ein Mensch Vertrauen gibt	LfK A 6, LJ 651

Kreative Ideen

Wassertropfen: Wassertropfen werden aus blauem Tonpapier ausgeschnitten und beschriftet, z.B. als Fürbittaktion.

Mitmachaktion: Die Kinder helfen beim Füllen des Taufbeckens.

Fantasiereise: Wir sind lange unterwegs in einer heißen trockenen Wüstenlandschaft. Wir kommen zu einem Brunnen. *Wasser – wenn möglich direkt vor dem Mikrophon – einschütten …*

Weitere wundervolle Ideen in: Wasser – Baustein des Lebens. Gottesdienstentwürfe zum Erntedankfest (auch zu vielen anderen Gelegenheiten brauchbar). Die kostenlose pdf-Datei zum Download ist unter:
www.kindernothilfe.de/downloads/gottesdienstentwuerfe3.pdf
zu finden. Unter der Internetadresse *www.kindernothilfe.de* lassen sich zahlreiche Lied- und Bastelvorschläge, Bilder, Informationen und Materialien rund ums Wasser entdecken.

Glastropfen: Ein ca. 1 cm breites Band aus Tonpapier (ca. 15–20 cm lang) wird mit einem Wunsch für das Taufkind beschriftet. Das Band wird durch die Schnur des Glastropfens gezogen und die Enden zusammengeklebt. Der Wunsch ist außen zu lesen. Die Glastropfen werden an einen grünen Strauch gehängt. Der Strauch wird als Taufgeschenk überreicht.

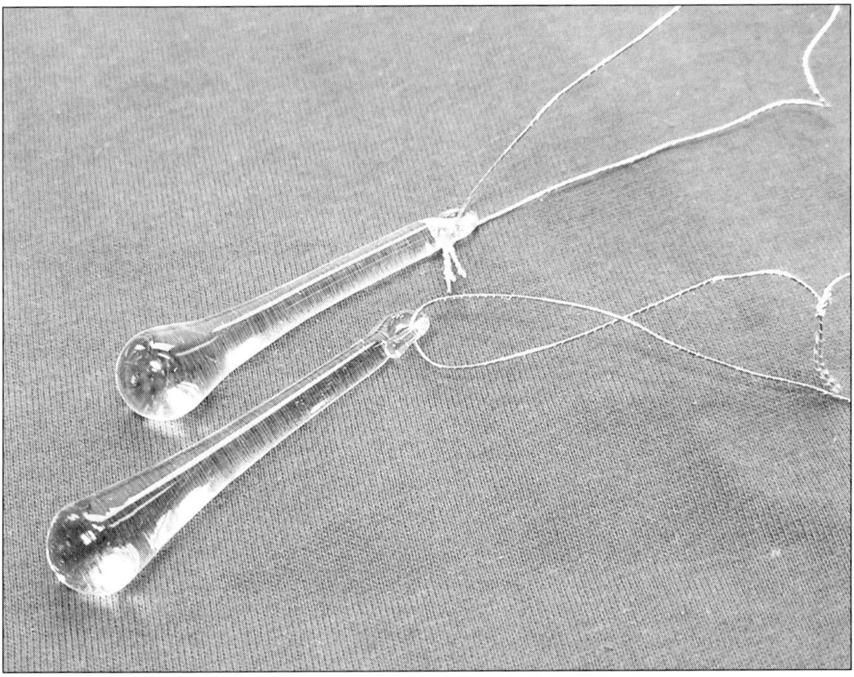

Gedanken und Impulse für die Karte: Die ausgebreiteten Hände vermitteln den Eindruck, dass Jesus es ist, der das Wasser der Quelle emporsprudeln lässt. Es steht wie eine Gestalt vor Jesus. Die Karte kann auf der Rückseite mit Wünschen beschriftet und dann der Tauffamilie überreicht werden.

Morgenglanz der Ewigkeit, die güldene Sonne …
Eine Fülle biblischer Glaubensaussagen und kirchlicher Lieder
zeigen sich in diesem Bild.
Hier könnte sogar Jakob nach dem Kampf am Jabbok (1. Mose 32)
der Sonne entgegenhinkend dargestellt sein.

Jesus Christus vor der Morgensonne bedeutet
die frohe, erhellende, österliche Botschaft.

Das Licht

Tragt in die Welt nun ein Licht

1. Tragt in die Welt nun ein Licht, sagt allen: Fürchtet euch nicht!
Gott hat euch lieb, Groß und Klein! Seht auf des Lichtes Schein!

2. Tragt zu den Alten ein Licht, sagt allen: Fürchtet euch nicht!
Gott hat euch lieb, Groß und Klein! Seht auf des Lichtes Schein!

3. Tragt zu den Kranken ein Licht, sagt allen: Fürchtet euch nicht!
Gott hat euch lieb, Groß und Klein! Seht auf des Lichtes Schein!

4. Tragt zu den Kindern ein Licht, sagt allen: Fürchtet euch nicht!
Gott hat euch lieb, Groß und Klein! Seht auf des Lichtes Schein!

„Tragt in die Welt nun ein Licht" textete W. Longardt (EG 538, LJ 327, MKL1 132). Nicht nur Weihnachten leuchtet Licht auf, sondern Ostern erneut – auch von der Taufe geht besondere Leuchtkraft aus: Mit der Taufe in Gottes Licht zu wandeln heißt: Etwas vom göttlichem Licht zu haben, auf der so genannten Sonnenseite des Lebens zu stehen. Dunkelheit, Leid, Finsternis und Not sind vorläufig. Wir haben Trost und Hoffnung, Zukunft und Ewiges Leben. Dafür steht das „Licht".

Jesus Christus verheißt uns: „Ich bin in die Welt gekommen als ein Licht, damit, wer an mich glaubt, nicht in der Finsternis bleibe" (Johannes 12,46). Dieses Licht nicht unter den Scheffel zu stellen, sondern davon zu erzählen, danach zu handeln und daraus zu leben drückt Paulus aus, wenn er schreibt: Ein heller Schein ist in unsere Herzen gegeben (2. Korinther 4,6).

ABCD ZUSAMMENKOMMEN UND BETEN

- **Musikalisches Vorspiel**
  Begrüßung

- **Lied**
  Sende dein Licht (EG 172, LJ 118), *zunächst einstimmig*

- **Eingangsvotum**
  Verbunden mit dem Anzünden von Kerzen
  Liturgin/Liturg: Im Namen Gottes, der sprach:
  „Es werde Licht!“ und es ward Licht.
  Im Namen Jesu Christi, der sagte:
  „Ich bin das Licht der Welt, wer mir nachfolgt,
  wird nicht im Dunkeln gehen,
  sondern das Licht des Lebens haben.“
  Im Namen des Heiligen Geistes,
  der unsere Lebenswege zueinander und zu Gott erhellt.
  Amen.

- **Lied**
  Sende dein Licht (EG 172, LJ 118), *nun als mehrstimmiger Kanon*

- **Psalmgebet**
  z. B. nach Psalm 36 oder 139

  oder:
  Psalm 27 mit Kehrvers
  Alle: Auf allen meinen Wegen bist du, guter Gott, mein Licht.

Es gibt Wege, die gehe ich ganz leicht, da hüpfe ich vor Freude
und singe dir ein Lied, mein Gott.

Alle: Auf allen meinen Wegen bist du, guter Gott, mein Licht.

Es gibt Wege, die fallen mir schwer;
ich gehe dann allein; ich trau mich nicht mehr weiter;
meine Füße sind schwer wie Blei.
Ach Gott, dann fällt mir jeder Schritt schwer.

Alle: Auf allen meinen Wegen bist du, guter Gott, mein Licht.

Es gibt Wege, die sind hell und froh.
Die Sonne lacht und ich lache dazu.

Alle: Auf allen meinen Wegen bist du, guter Gott, mein Licht.

Es gibt Wege, da ist alles dunkel um mich her.
Alles ist trübe und finster in mir.
Kein Lichtblick, kein Hoffnungsschimmer.
Ach Gott, dann lass mich nicht allein und bleib bei mir.

Alle: Auf allen meinen Wegen bist du, Herr, mein Licht.

Amen.

▣ Lied

Ein Licht geht uns auf (LfK A 1, LJ 344, KG 25, MKL1 123)

▣ Klage und Lob

Lasst uns beten.
Gott, ich schlage die Hände vors Gesicht und halte mir die Augen zu. Es ist so viel Dunkelheit um mich. Viele Menschen frieren, haben Hunger und sind krank. Höre unsere Klage, Herr, erbarme dich.

Alle: Herr, erbarme dich.

Wir vertrauen dir an, was uns das Herz verfinstert: Wir sehen täglich Leid, es ist kaum zum Mitansehen. Hilf uns, dass wir die Augen nicht verschließen vor unseren Aufgaben, die Welt im Kleinen heller zu machen. Schenk uns Kraft, Christus, erbarme dich.

Alle: Christus, erbarme dich.

Du, Gott, bist bei uns; dein erstes Wort war „es werde Licht!“. Schaffe Klarheit und Wärme, Licht und Leben, wir bitten dich, Herr, erbarme dich.

Alle: Herr, erbarme dich.

Dein Wort ist meines Fußes Leuchte
und ein Licht auf meinem Weg. Amen.

oder:
Weil du, Gott, unser Leben erhellen willst
und wir das Licht der Welt sind,
weil du uns immer wieder ein Licht bist
und ein Licht aufgehen lässt,
weil du uns scheinen willst,
deshalb vertrauen wir dir an, was uns bedrückt,
wo es in unseren Herzen dunkel und finster gewesen ist.

Du, Gott, nimmst uns an, und begleitest uns,
im Dunkel der Nacht und bei Tageslicht.
Du hörst, wenn wir zu dir rufen
und um dein Erbarmen bitten.
Amen.

▣ Lied

ABCD HÖREN UND ANTWORTEN

▣ Lesung
Markus 10,13–16 (siehe S. 29)

▣ Lied

▣ Lesung

Matthäus 28,18–20 (siehe S. 35)

▣ Glaubensbekenntnis

Ich glaube an Gott,
der sich den Menschen zugewandt hat,
der selbst Mensch wurde
und in Armut als kleines Kind auf diese Erde kam.

Ich glaube an Jesus Christus, Gottes Sohn,
der helfen will, unsere Lebenslasten zu tragen,
zu dem wir kommen können mit unseren Fehlern und Schwächen,
mit unseren Ängsten und Sorgen.
Ich glaube, dass er für uns ein Licht sein will,
das Dunkelheiten erhellen kann,
das der Finsternis nicht die Macht überlässt und
das uns ein leuchtendes Vorbild sein kann.

Ich glaube an den Heiligen Geist,
der mir hilft zu glauben,
an die Mitmenschlichkeit Gottes,
an die Mitmenschlichkeit der Menschen,
an eine friedliche Zukunft und
an ein gesegnetes Leben für alle.
Amen.

▣ Kurze Ansprache, z. B.

- zur Taufkerze;
- zu Psalm 139, Johannes 8,12 (Ich bin das Licht der Welt);
- zum Taufdatum bzw. der besonderen Bedeutung von Licht in der entsprechenden Kirchenjahreszeit (Advent, Epiphanias, Ostern);

– zu einer Geschichte von den Philippinen: Die „Halle der Welt“ mit Licht erfüllen!

▣ Die „Halle der Welt“ mit Licht erfüllen

Auf den Philippinen erzählen sich die Leute folgende Geschichte:

Ein König hatte zwei Söhne. Als er alt wurde, da wollte er einen der beiden zu seinem Nachfolger bestellen. Er versammelte die Weisen seines Landes und rief seine beiden Söhne herbei. Er gab jedem der beiden fünf Silberstücke und sagte: „Ihr sollt für dieses Geld die Halle in unserem Schloss bis zum Abend füllen. Womit, das ist eure Sache.“ – Die Weisen sagten: „Das ist eine gute Aufgabe.“

Der älteste Sohn ging davon und kam an einem Feld vorbei, wo die Arbeiter dabei waren, das Zuckerrohr zu ernten und in einer Mühle auszupressen. Das ausgepresste Zuckerrohr lag nutzlos umher. – Er dachte sich: „Das ist eine gute Gelegenheit, mit diesem nutzlosen Zeug die Halle meines Vaters zu füllen.“ – Mit dem Aufseher der Arbeiter wurde er einig, und sie schafften bis zum späten Nachmittag das ausgedroschene Zuckerrohr in die Halle. Als sie aufgefüllt war, ging er zu seinem Vater und sagte: „Ich habe deine Aufgabe erfüllt. Auf meinen Bruder brauchst du nicht mehr zu warten. Mach mich zu deinem Nachfolger.“ – Der Vater antwortete: „Es ist noch nicht Abend. Ich werde warten.“

Bald darauf kam auch der jüngere Sohn. Er bat darum, das ausgedroschene Zuckerrohr wieder aus der Halle zu entfernen. So geschah es. Dann stellte er mitten in die Halle eine Kerze und zündete sie an. Ihr Schein füllte die Halle bis in die letzte Ecke hinein.

Der Vater sagte: „Du sollst mein Nachfolger sein. Dein Bruder hat fünf Silberstücke ausgegeben, um die Halle mit nutzlosem Zeug zu füllen. Du hast nicht einmal ein Silberstück gebraucht und hast sie mit Licht erfüllt. Du hast sie mit dem gefüllt, was die Menschen brauchen.“

Geschichte aus den Philippinen, in: Peter Bleeser, Geschichten zwischen Himmel und Erde, Patmos Verlag.

– zum Lied *This little light of mine.*

This little light of mine

T. und M.: Traditional

- Lied

- Tauffragen
  Je nach Alter an den Täufling, an die Eltern, Patinnen und Paten, an die Gemeinde (siehe Seite 38).

- Taufe

- Taufkerze und Elternsegen

ABC D BITTEN UND SEGNEN

- Lied, Kollekte

- Fürbitte mit vier Kerzen
  Dazu können die Gießkerzen verwendet werden, von denen ein Muster in der Taufbox enthalten ist und die über beide Verlage als 9er Set bezogen werden können.
  Diese Kerze brennt für alle,
  die traurig sind,
  weil ein Lebenslicht erloschen ist.

  Diese Kerze brennt für alle,
  die durch schlechte Erfahrungen
  und Enttäuschungen den Glauben verloren haben.

  Diese Kerze brennt für alle,
  die sich nach Licht sehnen,
  weil es dunkel um sie herum ist.

  Diese Kerze brennt für dich persönlich,
  ob du getauft bist oder nicht …

- **Vater unser**

- **Lied**
  Bewahre uns, Gott, behüte uns, Gott (EG 171, besonders Strophe 2: *voll Wärme und Licht,* LJ 117, KG 213)

  oder:
  Erleuchte und bewege uns (EG-RWL 608)

- **Segen**

- **Musikalisches Nachspiel**

Gießkerze im Tongefäß
aus der Taufbox

Weitere Liedvorschläge

Sende dein Licht	EG 172, LJ 118
Tragt in die Welt nun ein Licht	EG 538, LJ 327, MKL1 132
Voller Freude über dieses Wunder	EG 212

Licht auf meinem Weg durch die Dunkelheit

LfK A 2. T: Rolf Krenzer, M: Detlev Jöcker. Aus MC und Liedheft: Licht auf meinem Weg.

Kreative Ideen

Fürbittenkerze: Kerzen anzünden kann man in jeder Kirche, sie können z. B. zur Fürbitte angezündet werden.

Kerzengeschenk: Es werden Kerzen verschenkt und/oder verziert.

Taufkerze: Die Kindergottesdienstkinder der Gemeinde haben im Vorfeld eine Kerze für den Täufling gestaltet.
Eine Taufkerze (25 cm lang, 5 cm Durchmesser) mit Verzierwachsplättchen (in den Farben blau, grün, rot und gold, 8 x 9 cm) und einem Doppelblatt A4 mit Motivvorlagen zur Gestaltung ist beim Verlag Der Jugendfreund erhältlich (Postfach 100355, 70747 Leinfelden-Echterdingen, Internet: www.jugendfreund.de, E-Mail: auslieferung@jugendfreund.de). Dazu gibt es auch einen Keramik-Ständer, wählbar in den Farben elfenbein, kupfergrün und rostrot.

Zur Postkarte: Der Text des Liedes „Gottes Liebe ist wie die Sonne“ (MKL1 47) kann von den Kindern wie Sonnenstrahlen um das Aquarell geklebt werden. So interpretiert das Lied das Bild. Oder alle singen das Lied; im Gespräch werden Abweichungen und Parallelen zwischen Liedtext und Bild herausgearbeitet.

Lichtertänze: Eine Gruppe von Kindern oder Erwachsenen kann an geeigneter Stelle im Gottesdienst einen Lichtertanz aufführen. „Gib das Licht weiter“. Lied mit Tanz- und Bewegungsbeschreibung in: Siegfried Macht, Kleine Leute, große Töne, Strube Verlag, München-Berlin, S. 74.

Oder: „Wir tragen dein Licht", in: Elke Hirsch, Kommt, singt und tanzt. Düsseldorf 1997, S. 131. Dort weitere Ideen und Vorschläge. Und auch: „Gottes Wort ist wie Licht in der Nacht" (EG 591):

Gottes Wort ist wie Licht in der Nacht

T: Pfarrer Hans-Hermann Bittger 1978, © Bistum Essen.
M: Kanon für zwei Stimmen, Joseph Jacobsen 1935, © Rechtsnachfolger des Urhebers.

Tanz- und Bewegungsbeschreibung

Aufstellung: *Einzeln paarweise abgezählt mit dem Gesicht in einem großen Kreis (A-B). Die Arme vor der Brust gekreuzt.*

Gruppe A	
Gottes Wort ist wie Licht in der Nacht;	*Arme langsam öffnen* *und in Reigenfassung* *heben.*
es hat Hoffnung und Zukunft gebracht,	*4 Schritte re-li-re-li zur Mitte,* *dabei Arme langsam* *weiter nach oben strecken,* *die Handflächen sind nach* *oben geöffnet.*
es gibt Trost, es gibt Halt in Bedrängnis, Not und Ängsten,	*Zweimal rechts-seit – links-seit wiegen.*
ist wie ein Stern in der Dunkelheit.	*Wiegen rechts-vor – links-rück.* *Einen großen Schritt mit rechts zurück,* *den linken Fuß beistellen.* *Die Arme wieder vor der Brust kreuzen.* *Von vorn beginnen, aber jetzt rückwärts.*
Gruppe B Gottes Wort ist wie Licht in der Nacht;	*Beginnt beim 2. Einsatz. (es gibt Trost ...)* *Langsam die Arme öffnen und in Reigen-* *fassung heben.*
es hat Hoffnung und Zukunft gebracht,	*4 Schritte zur Mitte (Innenkreis und* *Außenkreis bilden einen großen Kreis.)*
es gibt Trost, es gibt Halt in Bedrängnis, Not und Ängsten,	*Wiegen wie vorher Kreis A* *zur Seite.*
ist wie ein Stern in der Dunkelheit.	*Wiegen wie vorher Kreis A* *zur Mitte.* *Von vorn beginnen, aber jetzt rückwärts.*

„Auf keinen grünen Zweig kommen“ bedeutet,
trotz aller Anstrengungen erfolglos sein.
In diesem Bild ist vom Gegenteil die Rede.
Der Grund, auf dem Jesus Christus mit zum Segen erhobenen Armen
steht, ist Hoffnung, blühendes Leben und Schöpfungskraft.

Die Verbindung zur Wurzel Jesse, zum Spross aus dem Stamm Isais,
kann inspirieren. Beim Propheten Jesaja im Kapitel 11 lesen wir das
als verheißungsvolle Ankündigung des kommenden Messias und
erinnern in der Advents- und Weihnachtszeit an die alten Hoffnungen,
die wir Christen als Hinweis auf Jesu Geburt deuten.

Die Segenshand

Wie in einer zärtlichen Hand
sind wir geborgen bei Gott für alle Zeit.

So singen wir mit Bernd Schlaudt. Wir können nicht tiefer fallen als in Gottes Hände – eine tragende (!) Symbolik für die Geborgenheit und den Segen, der in der Taufe zugesprochen wird. Die Hände aufzulegen, ist berührend. Die Zärtlichkeit Gottes wird spürbar.

ZUSAMMENKOMMEN UND BETEN

▣ Musikalisches Vorspiel

Begrüßung

Die Kinder stellen sich im Kreis auf. Sie schließen die Augen. Nun bekommt ein Kind die Hand aus Filz in die geöffnete Hand gelegt. Es betastet den Filz und versucht den Gegenstand mit den Händen zu erkennen. Die Lösung wird nicht verraten, sondern die Hand (im Kreis) weitergegeben. Dann öffnen alle die Augen wieder. Die Kinder erzählen, was sie gespürt haben (weich, biegsam, die Finger gehen strahlenförmig auseinander). Sie erzählen, was wir mit der Hand machen können.

▣ Lied

Deine Hände, großer Gott (EG 424, LJ 235)

▣ Eingangsvotum

Im Namen Gottes, er schenkt uns das Leben.	*Liturgin/Liturg hält die rechte Hand wie eine Schale geöffnet vor sich hoch, als bekäme sie/er etwas hineingelegt*
Im Namen Jesu Christi, er hilft uns zu handeln.	*Liturgin/Liturg hält die linke Hand hoch, mit empfangender Geste wie die rechte Hand, als bekäme sie/er ebenfalls etwas hinein; es entsteht eine Gebets- oder Orantehaltung*
Im Namen des Heiligen Geistes,	*Liturgin/Liturg führt beide Hände zu einer Schale vor dem Körper zusammen*
er füllt unsere Hände und schenkt uns Gemeinschaft	*Liturgin/Liturg faltet die Hände zum Gebet und hält einen Moment inne, einen Augenblick der Stille*
Amen.	

▣ Lied

Sende dein Licht (EG 172, LJ 118)

▣ Psalmgebet

Psalm 139 mit Liedruf (und Lied)
z. B. aus: „Sagt Gott, wie wunderbar er ist. Neue Psalmen für Gottesdienst und Andacht", hrsg. v. Gottfried Mohr und Andreas Weidle, Verlag Junge Gemeinde, 2. Auflage 2007, S. 68.

▣ Lied

Gott hält seine Hand über mir (LJ 540, MKL2 40)

oder:
Psalm 84 mit Bewegungen (s. Seite 106 f.)

Alle:	Meine Zeit ist geborgen in deinen Händen, bei dir, Gott, bin ich gut aufgehoben.
1. Gruppe:	Wenn ich Angst habe, wenn ich Trost und Ermutigung brauche: Eine Hand, die mich streichelt, eine Hand, die meine Hand hält – und alles wird leichter.
Alle:	Meine Zeit ist geborgen in deinen Händen, bei dir, Gott, bin ich gut aufgehoben.
2. Gruppe:	Wenn ich mich freue und ausgelassen bin: zwei Hände, die mitklatschen, wenn ich klatsche, zwei Hände, die meine Hände fassen – und schon tanzen wir im Kreis.
Alle:	Meine Zeit ist geborgen in deinen Händen, bei dir, Gott, bin ich gut aufgehoben.
1. Gruppe:	Wenn ich alleine bin, wenn ich schlapp bin, müde und lustlos:

Ein Mensch, der mich an der Hand nimmt,
und mir einen neuen Weg weist,
– und langsam spüre ich wieder Begeisterung.

Alle: Meine Zeit ist geborgen in deinen Händen,
bei dir, Gott, bin ich gut aufgehoben.

2. Gruppe: Wenn es mir gut geht,
wenn ich mit mir und dem Augenblick zufrieden bin
und die Ruhe genieße:
zwei Hände, die im Schoß liegen,
zwei Hände, die entspannt auf der Lehne ruhen
– und der Moment der Stille macht glücklich.

Alle: Meine Zeit ist geborgen in deinen Händen,
bei dir, Gott, bin ich gut aufgehoben.

1. Gruppe: Wenn andere es böse mit mir meinen,
mich bedrängen, mich beleidigen oder mir wehtun:
Hände, die mich schützen
und mir wieder Mut machen,
– und ich lasse mich nicht unterkriegen.

Alle: Meine Zeit ist geborgen in deinen Händen,
bei dir, Gott, bin ich gut aufgehoben.

▣ Klage und Lob

Alle: Gott, ich danke dir von ganzem Herzen.

Ich komme zum Gottesdienst und freue mich über dich, Gott,
denn du bist treu und gut.

Alle: Gott, ich danke dir von ganzem Herzen.

Ich rufe zu dir und du, Gott, hast immer offene Ohren.
Du gibst meiner Seele große Kraft.

Alle: Gott, ich danke dir von ganzem Herzen.

Wenn dich doch die Mächtigen erkennen würden.
Von deinen Worten und Taten berührt würden sie singen.

Alle: Gott, ich danke dir von ganzem Herzen.

Ja, du siehst Großes und Kleines.
Du achtest auf das, was oben ist
und verlierst nicht aus dem Blick, was tief unten ist.

Alle: Gott, ich danke dir von ganzem Herzen.

Gott, du kannst Neid und Hass,
Ärger, Not und Wut in Freude verwandeln
und Böses zum Guten wenden.

Alle: Gott, ich danke dir von ganzem Herzen.

Wir bleiben an deiner Hand, in deiner Hand
und durch deine Hand gesegnet.

Alle: Gott, ich danke dir von ganzem Herzen. Halleluja!

oder:
Gott, ich schlage die Hände vors Gesicht, es gibt Leid in der Welt und niemand handelt. Höre unsere Klage,
Herr, erbarme dich.

Alle: Herr, erbarme dich.

Wir vertrauen dir an, wo wir dem Leid in der Welt wie handlungsunfähig und gelähmt zusehen. Schenk uns Kraft, einander die Hände zu reichen,
Christus, erbarme dich.

Alle: Christus, erbarme dich.

Du, Gott, bist bei uns, du hältst deine Hände über uns.
Wir können nicht tiefer fallen als in deine Hände, wir bitten dich,
Herr, erbarme dich.

Alle: Herr, erbarme dich.

Von allen Seiten umgibst du mich und hältst deine Hand über mir. Amen.

Lied

Mit Kindern neu beginnen

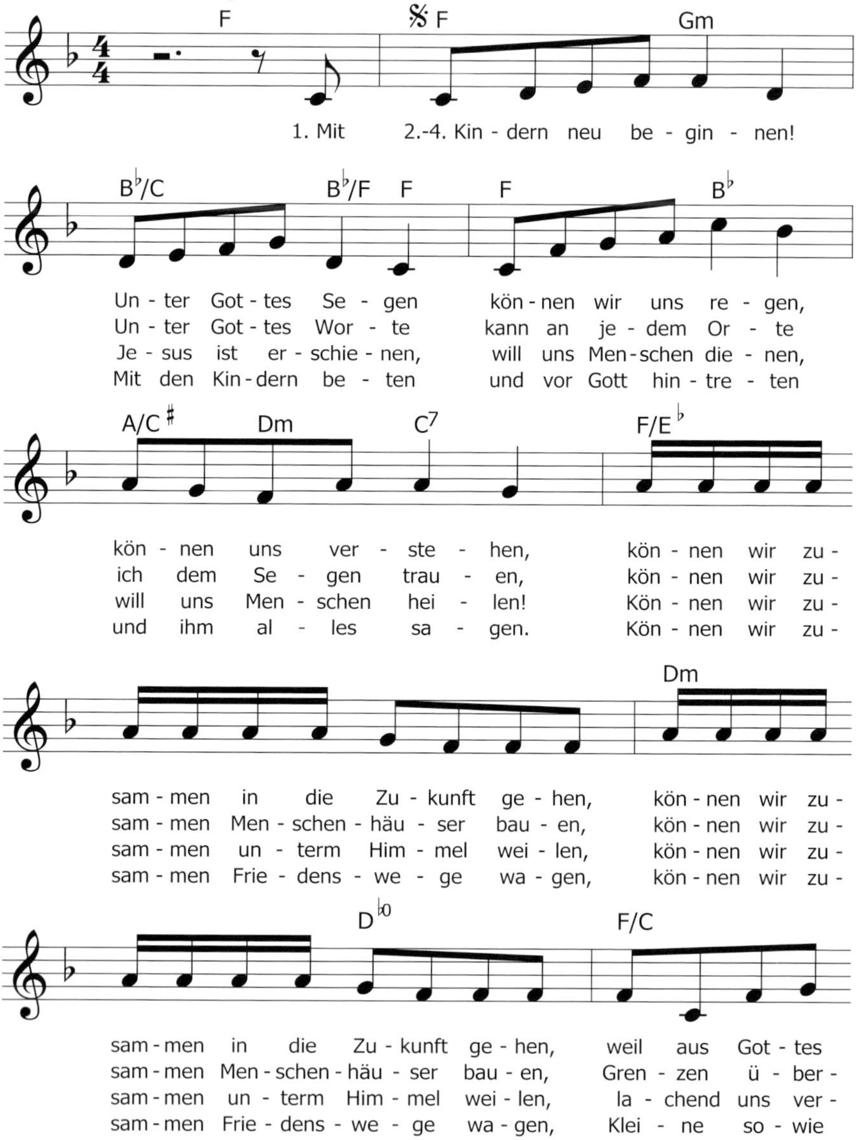

B♭/C C
Han - deln sich die Din - ge wan - deln!
win - den, Le - bens - freun - de fin - den.
zei - hen. Chris - tus wird be - frei - en.
Gro - ße und auch Hei - mat - lo - se.
C7 F7 Gm C7 F D7
Al - le Kin-der, al - le El - tern sol-len le - ben! Gott, du
Gm C7 F
wirst uns un - ser Le - ben ge - ben,
B♭ H0 F/C (A) Dm
wer bin ich? Wer bist du? Wer sind wir zu - sam - men?
Gm B♭/C C F
Du und ich sind Got-tes Kind. Mit

▣ Gebet

Gnädiger Gott,
Du schenkst Güte,
du schenkst Glaube,
du bist da, du bist uns nah.

Wir vertrauen dir und hoffen darauf,
dass du deine Hand über uns hältst,
dass wir nicht tiefer fallen als in deine Hand.
Deine Hand hilft uns auf,
deine Hand führt uns,
deine Hand schützt alles, was lebt.

Du hast uns deine Hand entgegengestreckt durch Jesus Christus.
Dein Heiliger Geist bewirkt,
dass wir uns die Hände reichen.
Amen.

oder:

Du hast mich gemacht,
du hast dir ausgedacht, wie ich sein soll.
Die Farbe meiner Haare und die Farbe meiner Augen
und meine Stimme und mein Herz.

Früher, als ich in meiner Mutter war,
ganz warm und weich,
da hast du mich wachsen lassen.

Ich danke dir, dass du mich schön findest
und dich an mir freust.
Ich freue mich auch,
dass ich da bin.
Und ich finde mich schön.

Du hast viele Gedanken gedacht,
als du mich gemacht hast,

und ich werde nie so viele Gedanken in meinem Kopf haben wie du.
Wenn ich einschlafe, und nicht mehr weiß, wo ich bin,
dann bist du bei mir und siehst mich.

Und wenn ich aufwache, bin ich immer noch bei dir.
Halleluja.
Amen.

HÖREN UND ANTWORTEN

Lesung

Markus 10,13–16 (siehe S. 29)

▣ Lied

Wir wollen heute N. N. in die christliche Gemeinde aufnehmen, ihn im Namen Gottes, des Vaters und des Sohnes und des Heiligen Geistes, taufen und ihm Paten zur Seite stellen.

▣ Lesung

Matthäus 28,18–20 (siehe S. 35)

▣ Glaubensbekenntnis

▣ Kurze Ansprache, z. B.

- zur Tauf-Handlung/Handauflegung;
- zu Psalm 139;
- zu dem Lied *Ihr werdet euch wundern* (siehe S. 86)
- zur „Hand Gottes“ (Psalm 139)
- Jesaja 49,16: „Siehe, in die Hände habe ich dich gezeichnet“ (Bild von Walter Habdank „In manibus tuis“ zu Psalm 31 betrachten. Karten erhältlich über: Galerie Habdank, Maxhöhe 34, 82335 Berg am Starn-

berger See; Internet: www.habdank-walter.de, E-Mail: galerie@habdank-walter.de.
– Kinder erhalten die Hand aus Filz. Gestalten nach der Vorlage (siehe Muster in der Taufbox). Sie schreiben ihren Namen auf einen Kreppklebestreifen und kleben ihn auf die Filzhand. Mit einer Sicherheitsnadel können sie sich die Hand anhängen.

Walter Habdank: In manibus tuis II (Holzschnitt 1972/1988 zu Psalm 31,6), zu finden unter www.habdank-walter.de.

▣ LIED
Halte zu mir, guter Gott
(LfK B 5, LJ 549, KG 8, MKL1 52)

▣ TAUFFRAGEN
Je nach Alter an den Täufling, an die Eltern, Patinnen und Paten, an die Gemeinde (siehe Seite 38).

▣ TAUFE

▣ TAUFKERZE UND ELTERNSEGEN

ABCD BITTEN UND SEGNEN

▣ LIED, KOLLEKTE, FÜRBITTE, VATER UNSER

Lied

Irischer Segen: Mögen sich die Wege

T: überliefert, M: Günter Schwarze. © Strube Verlag München-Berlin.

▣ Aaronitischer Segen mit Gesten

Die Gruppe steht im Kreis dicht beieinander, entgegen dem Uhrzeigersinn in Tanzrichtung gewandt.

Gott segne dich	*Rechte Hand auf die rechte Schulter des/der Vorderen legen.*
und behüte dich.	*Linke Hand auf die linke Schulter des/der Vorderen legen.*
Gott lasse sein Angesicht leuchten über dir und sei dir gnädig.	*Hände über den Kopf des/der Vorderen und von oben an den Seiten entlang einen imaginären Schutzschirm zeichnen, ohne zu berühren.*
Gott erhebe sein Angesicht auf dich	*Hände auf den Kopf legen.*
und gebe dir Frieden.	*Die Hände streichen von den Schultern an über den Rücken.*
Amen.	

▣ Musikalisches Nachspiel

•o•o•o•o•o•o•o•o•o•o•o•o•o•o•o•o•o•o•

Weitere Liedvorschläge

Gottes Hand hält uns fest wie ein Vogel im Nest	LJ 537, KG 114
Schalom chaverim	EG 434, LJ 245, KG 133, MKL1 94
Segne und behüte	EG 575, LJ 416
Segne uns mit der Weite des Himmels	LfK B 48, LJ 416, KG 142
Wie in einer zärtlichen Hand	Siehe S. 73

Gebt euch den Frieden in die Hand

2. Gebt euch den Frieden in die Hand,
erwartet ihn mit Liebe;
seid sacht beim Reden und beim Tun,
lasst wachsen seine Triebe.

3. Gebt euch den Frieden in die Hand
wie Brot, bestimmt zum Teilen,
sucht freundlich eurer Nächsten Blick,
des Lebens Sinn heißt Heilen.

4. Formt wie bei Christi Mahl die Hand,
gleich einer Krippe offen,
damit euch sein Geschenk vereint,
er hilft am Tisch uns hoffen.

5. Gebt euch den Christus in die Hand
als Maß in allen Dingen.
Wenn ihr den Schatz in Liebe teilt,
muss Frieden euch gelingen.

Ihr werdet euch wundern

Aus: Ihr werdet euch wundern. T: Albert Wieblitz, M: Fritz Baltruweit.

Kreative Ideen

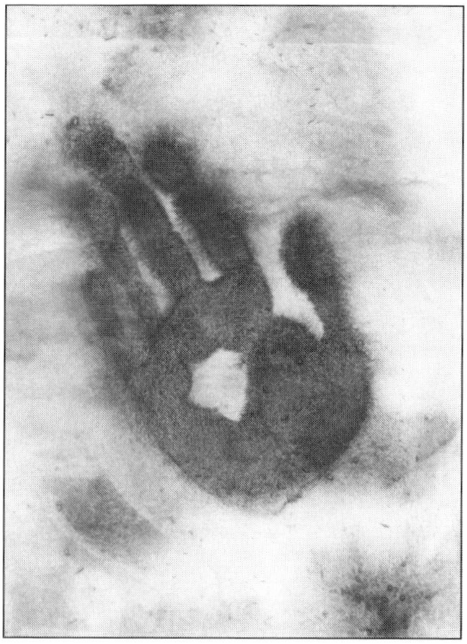

Hände betrachten: Stichwort: Was kann man da außer den berühmten Lebenslinien entdecken?

Kinder entdecken ihre Hände … Impulse: Haut, drei Fingerglieder, erfühle mit der linken Hand die rechte und umgekehrt, gibt es Narben, die Finger sind unterschiedlich groß, Schmuck, Verletzungen, Fingernägel, Adern, Knochen, Sehnen, Oberseite und Unterseite, Geschmack, Geruch, Muttermale, Schwielen und Druckstellen, Kulioder Tintenrückstände, Dreck, Unterschiede von rechter und linker Hand … Beweglichkeit testen, Hände kann man falten, Hände können klatschen, schnipsen, winken, Hände zu einem Schälchen formen …

Die Meditation ist auch mit meditativer Musik möglich.
Wichtig sind Pausen und Ruhe:

Setz dich bequem hin, …
Schau dir deine Hände an. Du hast zwei, die linke und die rechte.
Entscheide dich für eine Hand, der du dich zuerst widmest.
Betrachte sie sorgfältig, schenk der Hand deine ganze Aufmerksamkeit.
Widme ihr Zeit,
sie fasst und greift und hält für dich vieles, Tag für Tag.

Gut, dass du sie hast.
Halte sie vor dich und sieh dir zunächst den Handrücken an,
dann alle Finger nacheinander und einzeln.
Betrachte die Finger von oben bis unten.
Beginne mit deinem kleinen Finger:

den Nagel, die drei Fingerglieder, wo er mit der Hand zusammengewachsen ist, das nennt man auch Wurzel …
Schau nur, du kannst Hautporen erkennen, Sehnen, Adern …
Betrachte den nächsten Finger genauso sorgfältig und dann weiter, in aller Ruhe, lass dir Zeit,
bis du beim Daumen bist.

Dreh die Hand um und betrachte den Handteller. Du erkennst jede Menge Linien und Falten.

Dann sieh dir die andre Hand an.
Betrachte sie sorgfältig, schenk der anderen Hand deine ganze Aufmerksamkeit, widme ihr Zeit,
auch sie fasst und greift und hält für dich vieles, Tag für Tag.

Gut, dass du sie hast.
Halte sie vor dich und sieh dir zunächst den Handrücken an,
dann alle Finger nacheinander und einzeln,
betrachte die Finger von oben bis unten, beginne mit dem kleinen Finger:
den Nagel, die drei Fingerglieder, wo er mit der Hand zusammengewachsen ist, das nennt man auch Wurzel …
Schau nur, du kannst Hautporen erkennen, Sehnen, Adern …
Betrachte den nächsten Finger genauso sorgfältig und dann weiter, in aller Ruhe, lass dir Zeit,
bis du beim Daumen bist.

Dreh die Hand um und betrachte den Handteller. Du erkennst jede Menge Linien und Falten.

Jetzt kannst du beide Hände vergleichen.
Trägst du Ringe? Gibt es Narben, Verletzungen? Schau dir beide Hände genau an und dann tu so, als würde Wasser drüber laufen und tu so, als wäschst du deine Hände … sie reiben sich gegenseitig ab.
Nun sind sie spürbar und wach. Hände können handeln, sie können schnipsen (Vorschläge machen, vormachen nachmachen, Einfälle aufgreifen …), klatschen, winken …

Hände kann man falten – zum Gebet:

Gott, wir danken dir für unsere Hände,
sie geben Halt und helfen beim Handeln.
Gott, wir danken dir für alles,
was du in unsere Hände legst,
für alles, was du uns schenkst.
Wir danken dir Gott, für alles,
was wir haben und halten.
Wir danken dir auch für alles,
was wir loslassen und abgeben.
Gott, wir danken dir,
dass wir alle in deinen Händen geborgen sind.
Du bist unser Halt. Dankeschön.
Amen.

Die Hände können sich lösen und wir schütteln sie kräftig aus. Dann formen wir vor dem Körper ein Schälchen mit den Händen (und schließen z. B. die Augen) …

1. Jede/Jeder bekommt einen Tropfen Zitronen-, oder anderes Pflegeöl in die Hände und kann sich die Hände cremen.

2. Jede/Jeder bekommt ein Weingummi hineingelegt und kann es „erfassen“ und aufessen …

3. Fingerabdrücke herstellen (Stichworte: Individualität, Einzigartigkeit, Einmaligkeit, Unverwechselbarkeit) – Varianten sind möglich.

Hinweise zum Einsatz der Karte – mit Kindern betrachten:
Was Jesus vorgemacht hat, können wir nachmachen:
Mit erhobenen Händen stehen;
Eine Hand dem Nachbarn auf den Kopf legen
(Wärme dabei spüren, dem anderen Kraft geben).
Jesus steht auf einem grünen Zweig – Zeichen für das Leben und die Kraft, die er mit seiner Person / seinen Händen weitergibt.

Segenswünsche: Segenswünsche werden auf Hände aus Tonpapier geschrieben. Die Vorlage „Hand“ wird kopiert (Kopiervorlage S. 91) und der Name des Täuflings in die Handfläche geschrieben; z. B. mit Goldstift. Als Segenslied kann auch „Bewahre uns, Gott, behüte uns, Gott“ (EG 171, LJ 117, KG 213) gesungen werden. Die erste Strophe kann mit Bewegungen gestaltet werden. Das Tempo wird verlangsamt, die Gesten bekommen Zeit. Die folgende Beschreibung ist nach einer Idee von Nadia Kevan, Professorin für Tanz und Bewegung, Folkwanghochschule Essen.

Bewahre uns, Gott,	*Die Hände formen vor dem Körper eine sich öffnende Blüte.*
behüte uns, Gott,	*Die eine Hand formt ein Schälchen, in der Vorstellung ist darauf eine Kerze, das Lebenslicht; die andere Hand schützt das Licht vor einem Windstoß.*
sei mit uns auf unsren Wegen,	*Die zusammengelegten Hände zeichnen einen Weg in Schlangenlinien vor dem Körper, der sich nähert, einem entgegenkommt.*
sei Quelle und Brot	*Vom Boden aus schöpfen beide Hände Wasser und schütten sich das erfrischend über das Gesicht.*
in Wüstennot,	*Die Hände gleiten langsam wie herabrinnendes Wasser durchs Gesicht.*
sei um uns	*Die Hand weist nach oben, malt einen Kreis, um zu zeigen, dass Gott über uns wacht, wie ein Adler kreisend.*
mit deinem Segen.	*Die Hand wird von oben vor den Körper gebracht Richtung Herz.*

Kopiervorlage „Hand“

Auch das Vaterunser kann mit „Händen" bzw. Handlungen und Gesten gebetet werden. In vielen Gemeinden sind Bewegungen zum Vaterunser bekannt.

Vater unser im Himmel	*Wir stehen im Kreis, fassen uns bei den Händen.*
Geheiligt werde dein Name.	*Langsam werden die Hände gehoben.*
Dein Reich komme. Dein Wille geschehe	*Die Hände werden weiter nach oben geführt, bis sie ganz hoch erhoben sind.*
wie im Himmel	*Eine Hand weist nach oben, wir blicken Richtung Himmel, bzw. Kirchengewölbe.*
so auf Erden.	*Die andere Hand zeigt zu Boden und die Augen folgen.*
Unser tägliches Brot gib uns heute.	*Die Hände formen ein Schälchen vor dem Körper.*
Und vergib uns unsere Schuld,	*Die eine Hand deckt wie ein Deckelchen zu, was in der anderen Hand liegt.*
wie auch wir vergeben unseren Schuldigern.	*Die Hände werden ausgebreitet. Wir nehmen uns wieder versöhnlich bei den Händen und fassen zum Kreis durch.*
Und führe uns nicht in Versuchung,	*Die Arme werden vor dem Kopf gekreuzt, als würde man sich verstecken.*
sondern erlöse uns von dem Bösen.	*Ruckartig und plötzlich wird diese Körperhaltung gelöst, als würde man sich von Fesseln befreien.*
Denn dein ist das Reich	*Wir fassen uns wieder an den Händen.*
und die Kraft	*Wir erheben die Hände ein Stück, als wollten wir gemeinsam zujubeln.*
und die Herrlichkeit in Ewigkeit. Amen.	*Die Hände fliegen jetzt ganz nach oben, um sie wieder sinken zu lassen und eine kleine Verbeugung zu machen.*

In der Taufbox ist als Muster eine Kinderhand aus Filz (s. Vorschlag S. 82). Mit dieser Vorlage können weitere Hände aus Filz geschnitten werden.

Jesus Christus hat auf diesem Aquarellbild den weißen Stoff
wie eine Stola angelegt.
Die Körperhaltung und der Gestus
gleichen einem fürbittenden Liturgen.

Durch die Taufe sind wir eingehüllt,
bekleidet mit seiner Liebe, die vergibt und begnadigt.

Das Kleid

Gelobt sei deine Treu

1. Gelobt sei deine Treu,
die jeden Morgen neu
uns in den Mantel deiner Liebe hüllt,
die jeden Abend wieder,
wenn schwer die Augenlider,
das schwache Herz mit Frieden füllt.

2. Wir wolln dem Namen dein
im Herzen still und fein
lobsingen und auch laut vor aller Welt.
Nie hast du uns vergessen,
schenkst Gaben unermessen,
tagtäglich deine Hand uns hält.

3. Kleidung und Brot gibst du,
der Nächte Ruh dazu,
und stellst am Morgen über jedes Dach
das Taggestirn, das helle;
und mit der güldnen Welle
des Lichts nimmst du das Ungemach.

4. Gelobt drum deine Treu,
die jeden Morgen neu
uns deine abgrundtiefe Liebe zeigt.
Wir preisen dich und bringen
dir unser Lob mit Singen,
bis unser Mund im Tode schweigt.

EG-RWL 681, LJ 530. T: Gerhard Fritzsche 1938; M. und Satz: Johannes Petzold 1938.

„Kleider machen Leute“ weiß ein Sprichwort und es ist etwas dran. Wie *neugeboren* fühlt man sich nach einer erfrischenden Dusche oder einem entspannenden Bad. Man fühlt sich wie ein ganz anderer Mensch. Um wie viel mehr können wir uns nach der Taufe erfrischt fühlen? Sichtbar wird dies durch das Ablegen alter Kleidung und das Anlegen eines weißen Taufkleides, das zugleich hell und freundlich wirkt.

ABCD ZUSAMMENKOMMEN UND BETEN

▣ MUSIKALISCHES VORSPIEL

Begrüßung, namentliche Vorstellung des Täuflings, Willkommen an die Angehörigen

▣ LIED

Gelobt sei deine Treu (EG-RWL 681, LJ 530)

▣ EINGANGSVOTUM

Liturgin/Liturg: Im Namen Gottes, des Vaters und des Sohnes und des Heiligen Geistes.
Alle: Amen.
Liturgin/Liturg: Unsere Hilfe kommt von Gott,
Alle: der Himmel und Erde gemacht hat.
Liturgin/Liturg: Friede sei mit euch.
Alle: Und mit deinem Geist.

▣ LIED

▣ PSALMGEBET

Zum Beispiel Psalm 104 i. A. Eine schöne Idee ist es, wenn die Kinder des Kindergottesdienstes die einzelnen Psalmverse gemalt haben und sie bei der Psalmlesung gezeigt werden können (Dias oder Beamer).

Lobe den Herrn, meine Seele!
Herr, mein Gott, du bist sehr herrlich;

du bist schön und prächtig geschmückt.
Licht ist dein Kleid, das du anhast.

Du breitest den Himmel aus wie einen Teppich;

Du fährst auf den Wolken wie auf einem Wagen,
der du machst Winde zu deinen Boten
und Feuerflammen zu deinen Dienern;

der du das Erdreich gegründet hast auf festen Boden,
dass es bleibt immer und ewiglich.

Mit Fluten decktest du es wie mit einem Kleide,
und die Wasser standen über den Bergen.

Du lassest Wasser in den Tälern quellen,
dass sie zwischen den Bergen dahinfließen,
dass alle Tiere des Feldes trinken
und das Wild seinen Durst lösche.

Darüber sitzen die Vögel des Himmels
und singen unter den Zweigen.

Du feuchtest die Berge von oben her,
du machst das Land voll Früchte, die du schaffest.

Du lässest Gras wachsen für das Vieh
und Saat zu Nutz den Menschen,
dass du Brot aus der Erde hervorbringst,
dass der Wein erfreue des Menschen Herz

und sein Antlitz schön werde vom Öl
und das Brot des Menschen Herz stärke.

Du hast den Mond gemacht, das Jahr danach zu teilen;
die Sonne weiß ihren Niedergang.

Du machst Finsternis, dass es Nacht wird;
da regen sich alle wilden Tiere.

Gott, wie sind deine Werke so groß und viel!
Du hast sie alle weise geordnet,
und die Erde ist voll deiner Güter.

Da ist das Meer, das so groß und weit ist,
da wimmelt's ohne Zahl, große und kleine Tiere.

Dort ziehen Schiffe dahin; da sind große Fische,
die du gemacht hast, damit zu spielen.

Es warten alle auf dich,
dass du ihnen Speise gebest zur rechten Zeit.

Wenn du ihnen gibst, so sammeln sie;
wenn du deine Hand auftust,
so werden sie mit Gutem gesättigt.

Die Herrlichkeit des Herrn bleibe ewiglich,
der Herr freue sich seiner Werke!
Ich will dem Herrn singen mein Leben lang
und meinen Gott loben, solange ich bin.

oder:
nach Psalm 30
Ich will dich loben, mein Gott,
denn du hast mich errettet.

Du hast es nicht zugelassen,
dass meine Feinde mich überwältigen.

Ich schrie zu dir,
und du hast mich gehört.
Ich rief dich an in meiner Todesnot,
und du hast mich gerettet.

Gott, du warst mir nah.
Du stelltest meine Füße auf festen Grund.
Du bist der Boden unter meinen Füßen.

Ich möchte deine Treue verkünden
und von deiner Hilfe erzählen.

Du hast meine Klagerufe in Gesang verwandelt,
du hast mein Trauerkleid gelöst
und mich mit Freude gekleidet.

Meine Seele jubelt dir zu und schweigt nicht.
Mein Gott, ich danke dir. Halleluja.

▣ Lied

Die Herrlichkeit des Herrn (EG 527, LJ 366, KG 173)

▣ Klage und Lob

Lasst uns beten!
Gott der Liebe, in Gedanken bringen wir vor dich alle Menschen, denen das Nötigste zum Leben fehlt. Hilf doch, dass alle ein Dach über dem Kopf, etwas zu essen und Kleidung haben! Erbarme dich.

Lied: Herr, erbarme dich (EG 178.11)

Gott des Lebens, wir bringen vor dich das Leid der Menschen in der Welt. Schaffe Gerechtigkeit und Recht, hülle die Traurigen und Einsamen ein in deine Liebe und deinen Segen. Erbarme dich.

Lied: Herr, erbarme dich (EG 178.11)

Du, Gott, bist das Licht der Welt, mach es hell und rein, wo es notwendig ist, darum bitten wir dich:
Erbarme dich.

Lied: Herr, erbarme dich (EG 178.11)

Die auf Christus getauft sind, tragen das neue Leben wie ein neues, weißes Kleid. Amen.

▣ Lied

Es wird sein in den letzten Tagen (EG 426)

▣ Gebet

▣ Lied

Wir singen vor Freude (LfK B 2, LJ 431, KG 188, MKL1 152)

HÖREN UND ANTWORTEN

- **Lesung**
  Markus 10,13–16 (siehe S. 29)
  Vorschlag: Wenn der Schwerpunkt auf einem der Lesungstexte ruhen soll, können die Bibeltexte (Markus 10 und Matthäus 28) auch mal gesungen, mal mit Bildern, mal „inszeniert“ im Rollenspiel, mal mit Klängen, mal als Pantomime vorgetragen werden.

- **Lied**

- **Lesung**
  Matthäus 28,18–20 (siehe S. 35)

- **Glaubensbekenntnis**

- **Kurze Ansprache, z. B.**
  – Zum Taufkleid (falls vorhanden; möglicherweise sind die Taufeltern bereit, das Taufkleid tatsächlich erst im Anschluss an die Taufe dem Kind anzuziehen, d. h. das Kind im Gottesdienst umzuziehen.)
  – zu Epheser 4,23 f.;
  – zum Lied *Gelobt sei deine Treu* (EG-RWL 681, LJ 530);
  – zum liturgischen Gewand, falls eine weiße Mantelalbe getragen wird;
  – zur Farbe Weiß: der Stoff, aus dem die Träume sind, Kleider machen Leute …;
  – zum Ablegen und Überziehen;
  – (sogar!) zum Märchen „Des Kaisers neue Kleider“.

- **Lied**

- **Tauffragen** (siehe S. 38)

▣ **Taufe**

N. N., ich taufe dich im* Namen des Vaters und des Sohnes und des Heiligen Geistes. Amen.

Nimm hin das Zeichen des Kreuzes [+], du gehörst zu Christus, dem Gekreuzigten und Auferstandenen.

▣ **Taufspruch**

▣ **Taufkerze und Elternsegen**

D BITTEN UND SEGEN

▣ **Lied, Kollekte, Fürbitte, Vater unser**

▣ **Lied**

Komm, Herr, segne uns (EG 179, LJ 116)

▣ **Segen**

▣ **Musikalisches Nachspiel**

Weitere Liedvorschläge

Gott, Vater, du hast deinen Namen	EG 208
Kind, du bist uns anvertraut	EG-RWL 596, LJ 401, MKL1 89
Lass uns in deinem Namen, Herr	EG-RWL 658, LJ 585
Nun schreib ins Buch des Lebens	EG 207
Wir singen vor Freude	LfK B 2, LJ 431, KG 188, MKL1 152

Kreative Ideen

Tauftuch: Ein weißes Banner/eine Stoffbahn wird mit dem Taufspruch und Segenswünschen beschriftet – vielleicht im Vorfeld von den Kindergottesdienstkindern.

Tischtuch: Ein weißes (bemaltes, besticktes ...) gestaltetes Tischtuch als Taufgeschenk kann verbunden werden mit der Einladung zum Tisch des Herrn.

Vergleich eines zerschlissenen und eines schönen Kleides: Ein altes, abgetragenes Kleid wird gezeigt, die Kinder äußern sich dazu. Niemand will so ein Kleid. Nicht nur bei der Taufe trägt man ein besonderes Kleid, alle kennen auch ein Hochzeits- oder Ballkleid oder eines zur Erstkommunion. Die Kinder sagen ihre Gedanken zur Bedeutung des weißen Kleides: Etwas Schönes, Neues beginnt, ein festlicher Anlass, weiß wie Licht, weiß auch als Farbe der Reinheit (Waschmittelwerbung) oder als Ausdruck für ein unbeschriebenes Blatt (Neubeginn).

Wünsche: Im Altarraum hängt ein großes weißes Plakat, auf dem ein Kleid aufgezeichnet ist. Mit den Kindern sammelt man Wünsche für das Taufkind, die ihm in das neue Leben mitgegeben werden sollen.

Taufkleid-Anstecker: Nach dem Muster aus der Taufbox werden für alle kleine Kleidchen aus Filz geschnitten. Sie können angesteckt und am Tauftag getragen werden.

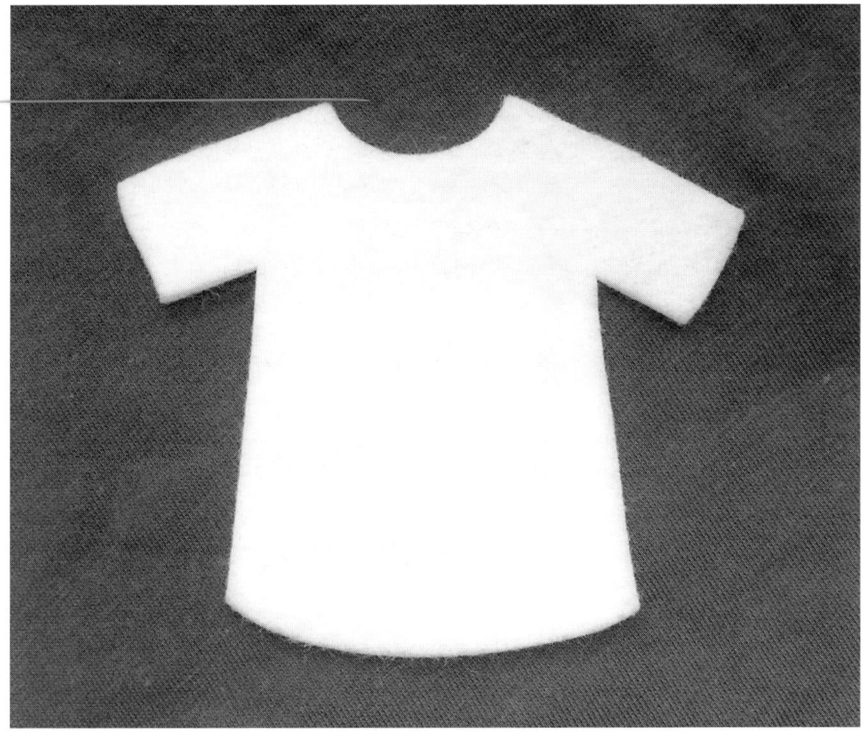

Jesus Christus steht vor einem Haus. Es könnte die Kirche sein. Das Haus kann auch ein Lebenshaus sein, deines zum Beispiel. Und die Gestalt Jesu bildet in deinem Leben, auf deinem Haus ein Kreuz. Damit soll gesagt werden:
Auch das Bewusstsein für Leid und Not in der Welt gehört zur Taufe dazu. Es steht eben noch etwas aus.

Die beiden folgenden Zitate drücken das berührend aus.
„Der Herr hat uns am Kreuz nicht vom Kreuz erlöst."
Kyrilla Spiecker

„Herr, hilf mir zu erkennen,
dass die Dunkelheit in Wirklichkeit der Schatten
deiner liebevoll ausgestreckten Hand ist."
Catherine Marshall

Das Kreuz

Du schöner Lebensbaum des Paradieses

1. Du schöner Lebensbaum des Paradieses,
gütiger Jesus, Gotteslamm auf Erden.
Du bist der wahre Retter unsres Lebens, / unser Befreier.

2. Nur unsretwegen hattest du zu leiden,
gingst an das Kreuz und trugst die Dornenkrone.
Für unsre Sünden musstest du bezahlen / mit deinem Leben.

3. Lieber Herr Jesus, wandle uns von Grund auf,
dass allen denen wir auch gern vergeben,
die uns beleidigt, die uns Unrecht taten, / selbst sich verfehlten.

4. Für diese alle wollen wir dich bitten,
nach deinem Vorbild laut zum Vater flehen,
dass wir mit allen Heilgen zu dir kommen / in deinen Frieden.

5. Wenn sich die Tage unsres Lebens neigen,
nimm unsren Geist, Herr, auf in deine Hände,
dass wir zuletzt von hier getröstet scheiden, / Lob auf den Lippen:

6. Dank sei dem Vater, unsrem Gott im Himmel,
er ist der Retter der verlornen Menschheit,
hat uns erworben Frieden ohne Ende, / ewige Freude.

EG 96. T: Dieter Trautwein/Vilmos Gyoengoesi 1974 nach dem ungarischen „Paradicsomnakteszép élö fája“ von Imre Pécseli Király vor 1641, M: Kolozsvar 1744 (aus Ungarn).

Unendlich ist die Fülle von Liedern, deren Texte Interpretationen des Kreuzes Jesu beinhalten. Das Kreuz ist verbunden mit Jesu Tod und Auferstehung – für uns. Jesus Christus nimmt Leid, Schuld und Tod auf sich und überwindet sie ein für allemal für uns, die wir auf ihn getauft werden.

A ZUSAMMENKOMMEN UND BETEN

▣ MUSIKALISCHES VORSPIEL

Begrüßung, namentliche Vorstellung des Täuflings, Willkommen an die Angehörigen

▣ LIED

Lasst uns miteinander (EG-RWL 645 oder LfK B 12, LJ 403, KG 189, MKL1 23)

▣ EINGANGSVOTUM

Liturgin/Liturg: Im Namen Gottes, des Vaters und des Sohnes und des Heiligen Geistes.
Alle: Amen.
Liturgin/Liturg: Unsere Hilfe kommt von Gott,
Alle: der Himmel und Erde gemacht hat.
Liturgin/Liturg: Friede sei mit euch.
Alle: Und mit deinem Geist.

▣ LIED

▣ PSALMGEBET

mit bewegtem Kehrvers nach Psalm 84, zwei Personen stehen sich gegenüber:

Ein Glück, *sich gegenseitig in die Hände klatschen*
mein Gott, *Arme hochrecken (lobende Haltung)*
dass ich *mit dem Finger auf sich selbst zeigen*
bei dir *in den Himmel weisen und nach oben sehen*
geborgen bin. *die Hände vor der Brust kreuzen und den Kopf beugen*

(dankbare Gebetshaltung, so verharren, während ein oder mehrere Sprecherinnen/Sprecher den Zwischentext beten, dann den Kehrvers mit Bewegungen wiederholen).

Kehrvers: Ein Glück, mein Gott, dass ich bei dir geborgen bin.

Bei dir, Gott, fühle ich mich wie zuhause.
Meine Seele sehnt sich danach, bei dir zu wohnen.
Leib und Seele freuen sich in dem lebendigen Gott.

Der Vogel hat ein Haus gefunden
und die Schwalbe ein Nest für ihre Jungen,
du bist da und breitest deine Flügel schützend darüber.

Ein Glück, dass ich bei dir, mein Gott, geborgen bin.
Ein Glück für alle, bei denen du wohnst.
Ein Glück, dass du Leben und Glauben schenkst.

Kehrvers: Ein Glück, mein Gott, dass ich bei dir geborgen bin.

Selbst in einem dürren Tal kannst du lebendige Quellen sprudeln lassen.
Wie bei erstem Licht der Morgentau überall funkelt,
so hüllst du uns ein in Segen.

Von dir her bekomme ich immer wieder Kraft, Berge zu erklimmen,
du wartest auf dem Gipfel und ziehst mich zu dir.

Kehrvers: Ein Glück, mein Gott, dass ich bei dir geborgen bin.

Gott, mein Gott, höre mein Gebet;
sieh mich an, du hast mich gesalbt!

Gott, du bist Sonne und Schild;
Du gibst auf uns Acht, weil du uns liebst.
Ein Glück, dass ich mich darauf verlassen kann!

Kehrvers: Ein Glück, mein Gott, dass ich bei dir geborgen bin.

Amen.

▣ Lied

▣ Klage und Lob

Lasst uns beten
Weil du, Gott, das Kreuz auf dich genommen hast,
klagen wir dir die Nöte der Welt und rufen zu dir:
Erbarme dich.

Lied: Herr, erbarme dich (EG 178.10)

Wir vertrauen dir an, was uns bedrückt,
wo moderne Kreuzzüge die Welt verwüsten,
sogar in deinem Namen, Gott!
Wir klagen dir die Gewalt in der Welt.
Erbarme dich.

Lied: Herr, erbarme dich (EG 178.10)

Du, Gott, bist bei uns; gib uns die Kraft,
unser Kreuz zu tragen.
Du hörst, wenn wir zu dir rufen:
Erbarme dich.

Lied: Herr, erbarme dich (EG 178.10)

Jesus Christus spricht: Kommet her zu mir alle, die ihr mühselig
und beladen seid, ich will euch erquicken.
Amen.

▣ Lied

▣ Kollektengebet

▣ Lied

Wir singen vor Freude (LfK B 2, LJ 431, KG 188, MKL1 152)

B

HÖREN UND ANTWORTEN

▣ Lesung
Markus 10,13–16 (siehe S. 29)

▣ Lied
Fürchte dich nicht (EG-RWL 656 oder LfK B 6, LJ 522)

▣ Lesung
Matthäus 28,18–20 (siehe S. 35)

▣ Glaubensbekenntnis

Einer/Eine:	Ich glaube an Gott, den Vater.
Alle:	Er hat Himmel und Erde und uns alle erschaffen.
Einer/Eine:	Ich glaube an seinen Sohn Jesus Christus.
Alle:	Er ist für mich geboren. Er ist für mich gestorben. Er ist für mich auferstanden.
Einer/Eine:	Ich glaube an den Heiligen Geist.
Alle:	Gott lässt uns nicht allein. Er begleitet uns mit seinem Heiligen Geist. Durch ihn gehören wir alle zusammen. Amen.

▣ Kurze Ansprache, z. B.

- zum Kreuz in der Kirche, auf dem Kirchturm;
- zu einem „Bild“ vom Kreuz (als Lebensbaum) in Verbindung mit Ps 23;
- zur Kreuzform der Kirche;
- zu dem Kreuz, das der Täufling von der Gemeinde geschenkt bekommt, als Anhänger oder Wandschmuck (siehe Kreuz in der Taufbox);
- in manchen Gemeinden wird zu Ostern ein Kreuz zum Blühen gebracht (in der Passionszeit mit Buchsbaum umwickelt, zu Ostern mit frischen Blumen geschmückt).

- Lied

- Taufe

D Bitten und Segen

- Lied, Kollekte, Fürbitte, Vater unser

- Lied

- Segen

- Musikalisches Nachspiel

Weitere Liedvorschläge

Du verwandelst meine Trauer in Freude	LfK B 3, LJ 508, KG 198, MKL2 26
Nun schreib ins Buch des Lebens	EG 207
Selig seid ihr	EG 666, LfK B 7, LJ 608, KG 127, MKL1 96

Kreativ-Kreuz: Ein Kreuz wird gestaltet, bemalt, behängt, betrachtet, verschenkt. *Der Verlag Junge Gemeinde bietet ein Kreuz zum Gestalten an: Birkenholz 30 cm lang, 22 cm breiter Querbalken, Gestaltungsbreite 5 cm, abnehmbarer Fuß, Vorlagenblatt mit verschiedenen Motiven liegt bei, Bestell-Nr. 477.*

In der Taufbox zu diesem Buch liegt ein kleines Holzkreuz bei: Buche, 7,5 cm lang, stehend, Bestell-Nr. 429, das zum Verschenken bei beiden Verlagen nachbestellt werden kann.

Kreuz mit Namen: Ein kleines Kreuz kann mit dem Namen des Kindes beschriftet werden. Es zeigt: Ich gehöre zu Christus. Ich bin erlöst. Mein Name ist ihm bekannt, er kümmert sich um mich, wenn Leid und Not in mein Leben kommen.

Das Fadenkreuz: Um zwei Stöckchen werden Wollfäden gespannt, bis eine viereckige Fläche gewoben ist. Die Farben könnten in verschiedenen Blautönen das Taufwasser bedeuten. Man kann auch die Farben des Regenbogens wählen. Er ist ein Zeichen des Bundes zwischen Gott und Mensch.

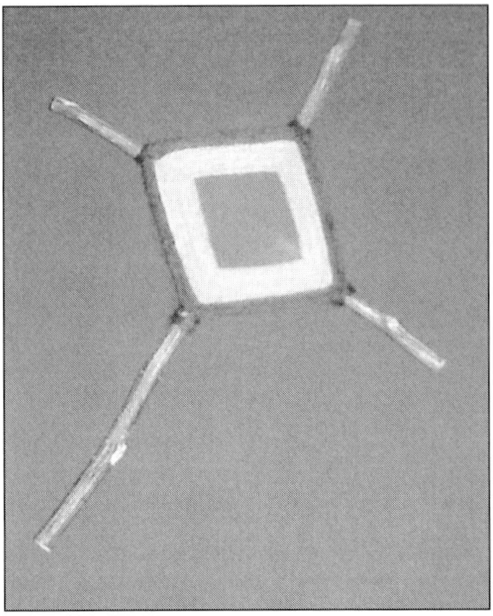

Das Prägekreuz: Stabile Gold- oder Silberfolie in Postkartengröße eignet sich, um einen Kreuzabduck in der Kirche zu suchen und zu finden. Auf dem Foto ist ein Beispiel. Es zeigt Fugen der Sandsteine auf dem Boden. Klar, die sind erst auf den zweiten Blick als Kreuz erkennbar. Aber Kinder haben Fantasie. Wo gibt es noch Kreuze, die man sich „einprägen" kann? Bisweilen gibt es sie auf den Taufsteinen, im Chorgestühl oder auf Reliefs. Eines lässt sich bestimmt abprägen – und verschenken.

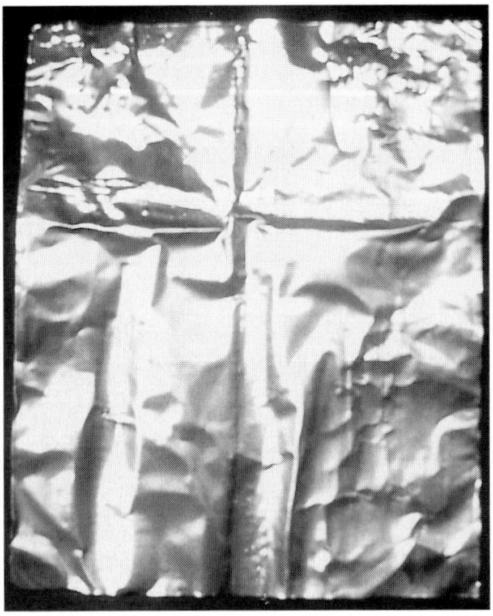

Lebensraum, Lebenstraum, Lebensbaum

Das Kreuz ist leer, stets neu zu beziehen
Erwirb es, bewohn es und füll es mit Tränen und Lachen

Das Kreuz öffnet Räume

Es bietet Raum
Für Sehnen, Träumen und Denken
Für Nehmen, Behalten und Schenken

Es bietet Raum
Für alle, die Glauben und Zukunft erhoffen
Die Häuser stehen einladend offen
Für Fremde, Zweifler und Freunde, für mich und für dich
Für Nahe und Ferne, Platz ist unendlich
Und jeder kann kommen

Es bietet Raum
Schutz, Heimat und Ziel
Frieden, Licht, Leben
In Ewigkeit. Amen.

Jesus Christus ist selbst Brot des Lebens und Kelch des Heils.
Durch die Abendmahlsfeier erinnern wir uns an sein Leben, Sterben
und Auferstehen und haben zugleich Anteil:
Wir werden leben, sterben und auferstehen.

In diesem Aquarellbild steht Christus auf „Blumen“:
Sie könnten anspielen auf den Garten Eden.
Das Abendmahl ist ein Vorgeschmack auf das Paradies,
aus dem wir kommen und in das wir zurückkehren,
weil wir, in Gottes Namen getauft, Gottes Geschöpfe sind und bleiben.

Das Brot

mit Abendmahlsfeier

Bei Jesus sind wir heut zu Gast

Bei Jesus sind wir heut zu Gast, weil er uns eingeladen hat.
So kommen wir und bitten ihn: Verzeih, wo Unrecht ist geschehn!
Wir teilen Brot, wir teilen Saft, und spüren: Gott schenkt neue Kraft.

Bei Jesus sind wir heut zu Gast, weil er uns eingeladen hat. Wir reichen uns im Kreis die Hände und machen uns'rem Streit ein Ende.
Wir teilen Brot, wir teilen Saft, und spüren: Gott schenkt neue Kraft.

Bei Jesus sind wir heut zu Gast, weil er uns eingeladen hat. Wir wollen neue Schritte wagen und Gottes Frieden weitertragen.
Wir teilen Brot, wir teilen Saft, und spüren: Gott schenkt neue Kraft.

Bei Jesus sind wir heut zu Gast, weil er uns eingeladen hat. Er sagt: Ich lass euch nicht allein, ich werde immer bei euch sein.
Wir teilen Brot, wir teilen Saft, und spüren: Gott schenkt neue Kraft.

T: Ulrich Walter, M: Reinhard Horn.
Melodie siehe nächste Seite. Alternative Melodie von Christof Falkenroth in LfK C 7.

Die Taufe und die Feier des Heiligen Abendmahles sind die beiden Sakramente der evangelischen Kirche. Die Taufe begründet die Mitgliedschaft am Leib Christi, und ihr folgt die Einladung zum Tisch des Herrn, um den Leib Christi zu sehen und zu schmecken. Unsere Kirche lädt Kinder ein. Sie sollen ihrem Alter entsprechend vorbereitet werden. Diesem berechtigten Wunsch wird durch die kindgemäßen Gebetstexte, Lieder, Lesungen, den anschaulichen Verkündigungsteil und die Gestaltungsideen entsprochen.

G Am7 D G
1. Bei Je - sus sind wir heut zu Gast, weil er uns
Am7 D C D
ein - ge - la - den hat. So kom - men wir und
G C D G
bit - ten ihn: Ver - zeih, wo Un - recht ist ge - schehn!
Am7 D7 G
Wir tei - len Brot, wir tei - len Saft,
Am7 D7 G
und spü - ren: Gott schenkt neu - e Kraft.
Am7 D7 G
Wir tei - len Brot, wir tei - len Saft,
Am7 D7 G
und spü - ren: Gott schenkt neu - e Kraft.

ZUSAMMENKOMMEN UND BETEN

Musikalisches Vorspiel

Begrüßung, namentliche Vorstellung des Täuflings, Willkommen an die Angehörigen

Lied

Lasst uns miteinander (EG-RWL 645, LfK B 12 und LJ 403, KG 189, MKL1 23)
mit folgenden Bewegungen:

... singen, danken,	*dabei klatschen wir uns auf die Schenkel*
loben	*dabei klatschen wir in die Hände*
den Herrn.	

Eingangsvotum

Liturgin/Liturg:	Im Namen Gottes, des Vaters und des Sohnes und des Heiligen Geistes.
Alle:	Amen.
Liturgin/Liturg:	Unsere Hilfe kommt von Gott,
Alle:	der Himmel und Erde gemacht hat.
Liturgin/Liturg:	Friede sei mit euch.
Alle:	Und mit deinem Geist.

Lied

▣ Psalmgebet

nach Psalm 111

Alle: Aus Körnern wird das Brot
und wir teilen es unter uns.

1. Gruppe: Mit jedem Bröckchen erinnern wir uns:
Gott gibt uns das Leben,
Gott gibt uns Brot,
Gott bewahrt unser Leben.

2. Gruppe: Mit jedem Bröckchen werden wir gewiss:
Gott verbündet sich mit uns,
Gott meint es gut mit uns,
Gott bewahrt unser Leben.

Alle: Aus Körnern wird das Brot
und wir teilen es unter uns.

1. Gruppe: Mit jedem Bröckchen erkennen wir:
Jesu Hoffnung war stärker als das Leid,
Jesus Vertrauen war größer als der Tod,
Gott bewahrt sein Leben.

2. Gruppe: Mit jedem Bröckchen spüren wir:
Gott verbindet uns miteinander,
Gott räumt beiseite, was trennt,
Gott heilt unser Leben.

Alle: Aus Körnern wird das Brot
und wir teilen es unter uns.

1. Gruppe: Mit jedem Bröckchen hoffen wir,
wie das Korn auf den Feldern,
so werden Wahrheit und Gerechtigkeit
unter uns wachsen.
Gott macht unser Leben neu.

Alle: Aus Körnern wird das Brot
und wir teilen es unter uns.

Lied

Lasst die Kinder zu mir kommen (siehe S. 34)

Klage und Lob

Gott, wir kommen zu dir heute Morgen, weil du gesagt hast:
„Lasst die Kinder zu mir kommen."
Wir singen zusammen, hören und beten gemeinsam.
Wir kommen zu dir, um uns von dir stärken zu lassen
mit dem Brot des Lebens und dem Kelch des Heils.

Gott, heute Morgen bringen wir dir,
was uns beschäftigt und bewegt.
Komm du, Gott, doch bitte in unsere Mitte,
höre uns und bleib bei uns jetzt und alle Zeit.
Amen.

oder:
Gott, du hörst uns und siehst uns.
Du bist bei uns, auch wenn wir dich nicht sehen.
Bei dir sind wir in Sicherheit.
Zu dir können wir immer kommen
mit allem, was wir haben, was wir tun und fühlen.
Du hörst unsere Sorgen und hilfst uns.
Du hörst unsere Freude und lachst mit uns.
Dafür danken wir dir, Gott.
Amen.

HÖREN UND ANTWORTEN

Lesung

Markus 10,13–16 (siehe S. 29)

Lied

- **Lesung**
  Matthäus 28,18–20 (siehe S. 35)

- **Glaubensbekenntnis** (EG-RWL 814), siehe Gottesdienst „Kreuz“

- **Lied**

- **Taufe**

- **Lied**

- **Ansprache als Mitmachgeschichte**

1. Regieanweisungen
Wir brauchen viele Kinder (und Erwachsene), die bei der Mitmachgeschichte eine „Rolle“ übernehmen. Während die Geschichte (z. B. nach einer Kinderbibel) erzählt wird, übernimmt eine Person an entsprechender Stelle die Rolle. Bei Bedarf kann zur Erläuterung ein Beispiel vorgemacht werden: Angenommen, du bist Jesus, und wenn ich sage: „Jesus wischt sich den Schweiß aus der Stirn, denn er ist schon lange unterwegs und die Sonne scheint heiß vom Himmel“, dann wischt du dir mit einer Geste den Schweiß von der Stirn.

So und jetzt kann's losgehen. Wir besetzen als erstes die „Jesusrolle“ (z. B. mit einem erfahrenen Kindergottesdienstkind). Er/sie bekommt als Requisite z. B. ein weißes Stirnband und zwölf Jünger zur Seite, die auch „eingekleidet“ werden. Eine Kindergottesdienstmitarbeiterin „mischt“ sich unter die zwölf Jünger und hilft falls nötig dabei, die Regieanweisungen zu befolgen. Hier ist die Unterstützung von Mitarbeitenden notwendig. Die Geschichte muss nicht „geübt“ werden. Sie lebt von der Spontaneität der Mitspielenden.

Benötigt werden zwölf Jünger und Jesus, ein gastfreundlicher Mann, Requisiten (Tisch, Stühle, Abendmahlsgeschirr, Brotkorb und Brot, Karaffe und Saft, eine große Schüssel Wasser und ein Handtuch, sowie eine Kerze und Streichhölzer. Die Regieanweisungen sind in die Erzählung integriert. Es kann sinnvoll sein, diese gelegentlich zu benennen, oder ein Kind, das schon öfter Mitmachgeschichten erlebt hat, einzubinden.

2. Die Ansprache

So war es damals, als Jesus Abendmahl feierte:

Jesus und seine zwölf Jünger waren den ganzen Tag unterwegs *(die Kinder gehen umher)*. Jesus und Thomas, Matthäus und Markus, Johannes und Levi, Jakobus und Petrus, Simon und Andreas, Philippus und Bartholomäus und Judas. Und nun wollen sie einkehren, sich an einen Tisch setzen und gemeinsam essen.

Sie kommen zu einem gastfreundlichen Mann, der sie in ein wunderschönes Zimmer im ersten Stock des Hauses führt. *(Ein Kind als Mann ist so positioniert worden, dass es mit den Jüngern und Jesus zusammen, wenn möglich, die Stufen zum Abendmahlstisch hinaufgeht, der festlich gedeckt ist, u. a. mit dem Abendmahlsgeschirr.)*

Dort steht ein festlich geschmückter Tisch mit dreizehn gut gepolsterten Stühlen. Die Jünger strahlen. Bevor sie zu Tisch gehen, waschen sich alle die Hände. *(Schüssel und Handtuch stehen bereit.)*

Der Platz rechts neben Jesus bleibt für Petrus und der links neben Jesus für Thomas reserviert. Denn jetzt müssen Petrus und Thomas nur noch das Essen und den Wein besorgen und die Feier kann so richtig losgehen. Der freundliche Mann zeigt den beiden, wo sie alles finden können, um das Mahl zu richten *(weist auf die bereitgestellten Sachen)*.

Petrus und Thomas tragen das Essen *(Brotkorb)* und den Wein *(Traubensaft)* auf. Die übrigen Jünger und Jesus haben bereits Platz genommen. Von der Wanderschaft sind sie alle müde und stützen ihren Kopf auf die Hände. Dann zündet einer von ihnen die Kerze auf dem Tisch an, denn es ist schon dunkel geworden.

Jeder setzt sich auf seinen Platz, *Jesus* sitzt in der Mitte, neben ihm *Petrus*, auf der anderen Seite von ihm *Thomas*, dann *Johannes*, *Judas*, *Matthäus*, *Markus* und alle anderen Jünger. Sie freuen sich, dass alles so gekommen ist, wie es Jesus vorausgesagt hat.

Dann wollen sie es sich wirklich gut schmecken lassen, doch irgendetwas verhindert, dass richtig Stimmung aufkommt – so wie sonst. Etwas ist anders. Jesus blickt so traurig vor sich hin.

Alle sehen ihn an. Das Essen bleibt ihnen fast im Hals stecken, denn *Jesus* sieht sie an und zeigt mit dem Zeigefinger einmal auf jeden von ihnen und sagt:

„Wirklich, *(warten, bis „Jesus" die Worte wiederholt hat)*
einer von euch, *(warten, bis „Jesus" die Worte wiederholt hat)*
der hier mit mir isst, *(warten, bis „Jesus" die Worte wiederholt hat)*
wird mich verraten." *(warten, bis „Jesus" die Worte wiederholt hat)*

Da legt *Petrus* seinen Arm um Jesu Schulter und zeigt mit der anderen Hand auf sich selbst und fragt: „Bin ich's?" *(warten, bis „Petrus" die Worte wiederholt hat)*. „Nein!", sagt Petrus laut *(warten, bis „Petrus" die Worte wiederholt hat)*. Entschlossen schüttelt *Petrus* seinen Kopf. Auch der Jünger neben ihm zeigt auf sich selbst und sieht Jesus fragend an: „Werde ich dich vielleicht verraten, Jesus? Niemals!" *(Gegebenenfalls warten, bis die „Jünger" die Worte wiederholt haben)*. Er schüttelt den Kopf. *(Dann der nächste, auch er zeigt auf sich, sieht Jesus fragend an und schüttelt den Kopf, der Reihe nach zeigen alle anderen Jünger auf sich und schütteln ihre Köpfe.)* Sie winken entschlossen ab: „Zu keiner Zeit würden wir dich verraten! Wir sind doch deine Freunde, Jesus!" Und *Thomas* hat Zweifel: „Woher willst du das überhaupt wissen, Jesus? Wie kommst du denn auf so was?" Allein *Judas* bleibt merkwürdig still, als Jesus es noch einmal wiederholt:

„Einer von euch, *(warten, bis „Jesus" die Worte wiederholt hat)*
der mit mir aus dieser Schüssel isst, *(warten, bis „Jesus" die Worte wiederholt hat)*
wird mich verraten. *(warten, bis „Jesus" die Worte wiederholt hat)*
Er tut mir leid." *(warten, bis „Jesus" die Worte wiederholt hat)*

Die Jünger senken alle die Köpfe und essen schweigsam weiter, aber *Jesus* nimmt an diesem Abend das Brot und legt es vor sich. Dann faltet er die Hände und dankt Gott für seine guten Gaben. Auch die Jünger falten die

Hände. Jesus nimmt das Brot in die Hände, bricht es und gibt es ihnen weiter und sagt:

„Nehmt es, das ist mein Leib.“ *(warten, bis „Jesus“ die Worte wiederholt hat)*

Und die Jünger geben das Brot weiter, jeder bricht seinem Nachbarn ein Stückchen ab.

Dann nimmt Jesus den großen Kelch mit dem Traubensaft, dankt Gott dafür und lässt ihn ebenfalls herumgehen. Und sie trinken alle einen Schluck daraus. Und er sagt zu ihnen:

„Das ist mein Blut, das für euch und viele andere vergossen wird.“ *(warten, bis „Jesus“ die Worte wiederholt hat)*

Nachdem sie ein Lied gesungen haben *(„Wir teilen Brot, wir teilen Saft, siehe S. 125),* verstehen sie immer noch nicht, was Jesus damit gemeint hat, dass sein Blut für sie vergossen werden wird. Erst später nach seiner Auferstehung werden sie begreifen, dass er für sie sterben wollte, damit sie leben. Aber eines haben sie an diesem Abend gespürt. *Das* werden sie nie vergessen: Jesus hat sie lieb. Er würde alles für sie tun.

Und nachdenklich gehen sie mit ihm hinaus *(Kinder verlassen die „Bühne“ und setzen sich wieder an andere Plätze)* an den Ölberg.

C FEIERN

▣ Lied

▣ Überleitung zum Abendmahl

Jesus von Nazareth, unser Christus,
wollte den Menschen Gott nahe bringen.
Er ging nicht nur zu seinesgleichen.
Er ging zu den Fremden und Andersartigen.
Er ging zu Verachteten und Ausgestoßenen.

Dabei kümmerten ihn nicht die Unterschiede,
Verbote und Gegensätze.
Er kehrte bei allen ein.
Er sagte: „Wir gehören zusammen!"
Als äußeres Zeichen für die Gemeinschaft unter den Menschen
aß und trank er mit ihnen.

Die ersten Christinnen und Christen folgten seinem Beispiel.
So begannen sie, das Abendmahl zu feiern.
Es erinnert uns daran,
dass wir uns um Gottes Willen zusammensetzen sollen an einen Tisch
und dass wir in Gottes Namen miteinander teilen können.
Nicht nur am Sonntag, sondern auch im Alltag.

und/oder Gebet zur Vorbereitung:
Lieber Gott,
du lädst uns zusammen an einen Tisch ein.

Wir dürfen kommen, so wie wir sind:
traurig oder fröhlich,
nachdenklich oder lustig,
frech oder artig,
gesund oder krank,
mutig oder ängstlich.

Du rufst uns alle, so wie wir sind.
Wir alle dürfen teilhaben an dem,
was du schenkst.
Dafür stehen Brot und Saft als Lebensmittel.
Du möchtest, dass wir leben.

Amen.

▣ Lied

Wir teilen Brot, wir teilen Saft

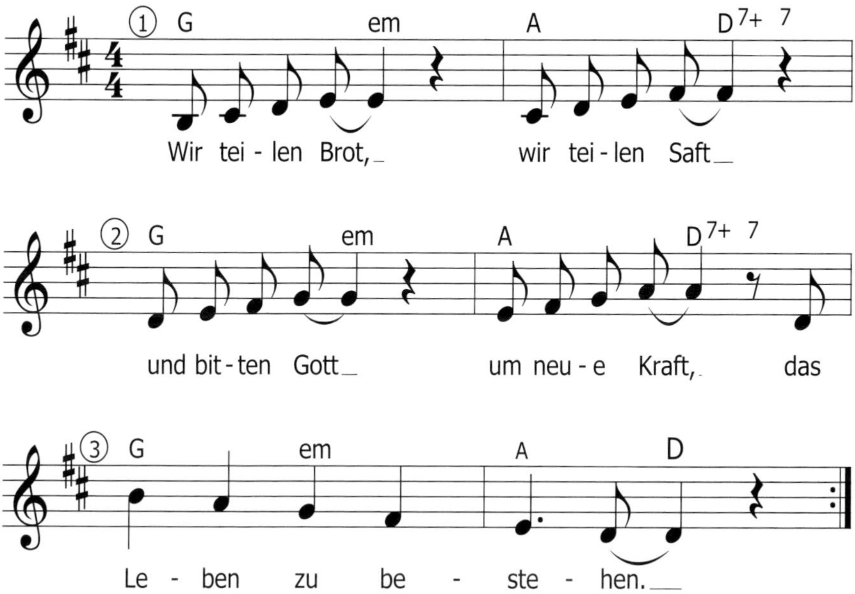

▣ Einsetzungsworte

Gott, wir danken dir für das Brot.
Gemahlen aus vielen Körnern ist es uns ein Bild für die Gemeinschaft, die wir mit Christus und untereinander haben dürfen, denn:
… In der Nacht da er verraten wurde, nahm er das Brot, dankte und brach's und gab es ihnen und sprach: Nehmt hin und esst. Das ist mein Leib, der für euch gegeben wird. Solches tut zu meinem Gedächtnis.

Gott, wir danken dir für den Saft. Gepresst aus vielen Trauben ist er uns ein Zeichen dafür, dass wir mit Christus und untereinander verbunden sind, denn:
… Ebenso nahm er auch den Kelch nach dem Mahl, dankte, gab ihnen den und sprach: Nehmt hin und trinkt alle daraus. Das ist der neue

Bund in meinem Blut, das für euch vergossen wird zur Vergebung der Sünden. Solches tut, sooft ihr's trinkt, zu meinem Gedächtnis.

Lass diesen Kelch unseren Durst nach Leben stillen. Gemeinsam beten wir: Vater unser ...

oder:
Wir sprechen gemeinsam das Tischgebet:

▣ VATER UNSER

▣ AUSTEILUNG VON BROT UND SAFT

▣ LIED
Komm, sag es allen weiter (EG 225, LJ 142, KG 204, MKL1 56)

ABC BITTEN UND SEGNEN

▣ DANKGEBET
Ein Vorschlag mit integrierter Fürbitte
Dies Gebet kann gelegentlich auch mal meditativ mit einer leisen Melodie unterlegt werden, je nachdem, welches Instrument den Gottesdienst mitgestaltet, z. B.mit Triangel oder Gong, ab „Lass uns …"
Guter und barmherziger Gott,
wir haben Brot und Saft geschmeckt.
Wir danken dir, dass du unsere Kraft und Stärke sein willst.

(3 x Gong oder Klang von Triangel, Stille halten)

Lass uns von dieser Erfahrung aus dem Gottesdienst
etwas mit nach Hause nehmen:
Hoffnung, Mut und Kraft für alles, was uns bevorsteht,
und das Vertrauen, dass dein Heiliger Geist mit uns ist,
wo wir gehen und stehen. Amen.

▣ Segen

▣ Lied

Bewahre uns, Gott, behüte uns, Gott (EG 171, LJ 117, KG 113)

▣ Musikalisches Nachspiel

Säckchen mit Getreidekörnern aus der Taufbox

Weitere Liedvorschläge

Bei Jesus sind wir heut zu Gast	s. Seite 115 f.
Korn, das in die Erde	EG 98, LJ 74, KG 59

Kreative Ideen

Brotbacken: Mit den Kindern des Kindergottesdienstes oder aus dem Kirchlichen Unterricht Brot backen, Saft keltern, Tisch decken, Batiken.

Weinrebe: Aus Tonpapier wird eine große Weinrebe gestaltet, deren einzelne Trauben mit unseren Namen versehen sind.

Serviettentechnik: Der Teller für das Brot kann mit Serviettentechnik gestaltet werden.

Tischdecke: Mit Schablonen können Weinblätter am Rand der Decke – ein einfaches gesäumtes weißes Tuch ist am besten – in verschiedenen Grüntönen aufgebracht werden. Trauben sind gut mit Korken als Stempel und lila Abdeckfarbe darstellbar. Das „Brot" und einen „Kelch" kann man am besten aus Filz ausschneiden und aufnähen.

Moosgummistempel: Auf ein Holzblöckchen wird eine Moosgummihand aufgeklebt, ein einfacher Holzdübel dient als Griff. Das muss vorbereitet werden, ist aber auch verzichtbar. Stempelkissen gibt es in Bastelläden, sogar in Regenbogenfarben. Wenn sich nicht alle Gottesdienstbesuchenden einen Stempel bauen, dann kann für den Täufling einer vorbereitet sein. Bevor er verschenkt wird, bekommen die Kinder und jeder, der will, einen Stempel auf den Handrücken aufgedrückt.

Saatbild: Weizenkörner stehen nicht nur stellvertretend für das Brot, das aus ihnen gemacht ist. Im Johannesevangelium ist im 12. Kapitel das so genannte Weizenkorngleichnis zu finden. Das Weizenkorn, so heißt es dort, muss in die Erde fallen, sterben, damit es neue Frucht hervorbringt. Damit ist ein Bild für Jesu Tod und Auferstehung gefunden. Ein Bild aus Weizenkörnern ist einfach zu machen. Preiswerte Bilderrahmen im Doppelpack gibt es z. B. bei Ikea. Das „Glas“ wird entfernt und mit Flüssigklebstoff (Klebestifte sind nicht ergiebig genug) ein Kreuz aufgebracht. Weizenkörner werden dann in Kreuzform festgeklebt. Es ist möglich, je nach Zeitbudget, mit anderen Körnern, z. B. Mais, Reis, Linsen, das Bild aufzufüllen.

Weizenkörner können genau betrachtet / beschrieben werden:

Der Traum des kleinen Weizenkorns

Schaut mich an! Ich bin ein kleines Weizenkorn. Ihr findet mich klein und unscheinbar? Aber in mir steckt eine große Kraft! Woher ich komme, fragt ihr? Ich weiß es nicht genau. Aber ich ahne etwas: Da war ein anderes Korn, irgendwann einmal wurde es in die Erde gelegt. Die Feuchtigkeit des Regens und die Wärme der Sonne haben es geweckt. Es hat sich ausgestreckt, ist gewachsen und gereift unter der Glut der Sonne, gebleicht und gewaschen im Regen. Und als die Ähren reif waren, hat der Bauer es geschnitten und gedroschen.

Da waren es viele Körner und eines davon bin ich. Das ist meine Geschichte. Das ist unser Lebenssinn.

Oder kann aus mir noch etwas anderes werden? Ich träume davon, dass aus mir etwas wird, bei dem meine Kraft anderen gut tut.

Was ich mir vorgenommen habe, ist schwer, darum werde ich mir andere Körner suchen. Ich schaffe es nicht allein. Meine kleine Kraft reicht dafür nicht aus. Dazu muss ich sogar meine Hülle verlassen. Ich weiß, das klingt hart, aber um meine Kraft mit den Kräften der anderen zu vereinigen, muss es geschehen. Erst im gemahlenen Mehl kann aus meiner Kraft etwas Neues entstehen.

Und ich träume von einer großen Schüssel Mehl, und ich bin mitten darin. Damit es weiter geht, wird das Mehl mit Wasser vermengt. Ohne Wasser gibt es kein Leben. Wasser reinigt. Alles, was stört, wird ausgewaschen. Wasser verbindet. Mit dem Wasser vermengt werden wir zu einem

Teig. Die kräftigen Hände des Bäckers kneten und mischen uns durch und durch. Und dann kommt noch etwas dazu. Mit flinker Hand mischt der Bäcker noch Hefe und ein wenig Salz unter. Wieder werden wir vermengt. Das ist anstrengend, wir brauchen nun eine Pause. Dunkel und warm ist es.

Jetzt spüre ich es ganz deutlich: Es geschieht eine Verwandlung. Ich wachse, wir wachsen über uns hinaus. Und wir spüren unsere Stärke. Und dann ist da noch die Würze des Salzes, es kitzelt in der Nase. Wenn ihr es hören könntet, ihr würdet staunen. Lauter kleine Bläschen platzen. Das ist unser Lachen. Das ist unsere Freude über unsere Kraft, die wir spüren.

Da wird es wieder hell, und noch einmal kneten und formen uns die Hände des Bäckers zu einem großen Laib.

Aber was ist das? Er schiebt uns in den heißen Ofen. Das ist eine harte Probe! Die Kraft der Sonne, die mich einmal wachsen ließ, spüre ich jetzt in der Glut der Holzscheite im Ofen. Die Hitze verschlägt mir fast den Atem. Die Wärme geht mir durch und durch. Ich habe Angst. Ist alles vorbei, war alle Veränderung vergeblich? Nein, noch einmal geschieht eine geheimnisvolle Verwandlung. Das Feuer brennt, aber es verbrennt mich nicht.

Auch das hat seinen Sinn. Durch das Dunkle der Todesangst bin ich nun, wovon ich zu träumen gewagt habe: Ein Brot!

Der Bäcker holt es aus dem Ofen und legt es zum Abkühlen auf ein Gitter. Hm, wie das duftet!

Ein Brot! Welch ein Reichtum und welch eine Hoffnung!

Doch: Wo das Brot allein bleibt, ist es nicht nütze.

Erst als geteiltes Brot kann ich meine Kraft weitergeben. Welch ein Auftrag!

Als Brot bin ich ein Zeichen für Jesus Christus: er hat gesagt: Ich bin das Brot des Lebens. - Und alle, die zu ihm kamen, wurden satt an Leib und Seele.

Aus: Reinhard Horn, Ulrich! Walter; Mit dem Friedenskreuz durch das Kirchenjahr. Lieder, Geschichten, Gebete und Rituale, Kontakte-Musikverlag, Verlag Junge Gemeinde 2006.

Weizenkörner einpflanzen: Ein kleines Tontöpfchen und Erde für jedes Kind. Aus dem Säckchen, das in der Taufbox liegt, die Körner an die Kinder verteilen. Jedes Kind steckt seine Körner in die Erde.

Altar schmücken: Mit Weinlaub und Ähren können die Kinder vor Beginn der Abendmahlsfeier den Altar schmücken. Für die Ähren kann eine Vase bereitgestellt werden.

Mögliche Gesprächsimpulse und methodische Anregungen für eine Bildbetrachtung der Postkarte:
- Eine Sprech- oder Denkblase wird an die Figur gelegt oder gemalt, die „gefüllt" werden kann (siehe unten).
- Der Satz „Einer, der ..." kann ergänzt werden.
- Beschreibe, was du siehst.
- Wir stellen uns vor, es ist ein Standbild aus einem Film. Was ist vorher passiert, was wird noch geschehen?
- Wir finden einen Titel für das Aquarell.
- Jesus Christus sieht man nur von hinten. Welcher Gesichtsausdruck, Gemütszustand könnte passen?

Liedverzeichnis

Bibelstellen

Altes Testament

Neues Testament

Abkürzungen

LfK	Liederheft für den Kindergottesdienst (Westfalen)
EG	Evangelisches Gesangbuch
EG-RWL	Evangelisches Gesangbuch, Regionalteil Rheinland, Westfalen, Lippe
LJ	Liederbuch für die Jugend, Gütersloher Verlagshaus, Gütersloh
KG	Das Kindergesangsbuch, Claudius Verlag, München
MKL 1/MKL 2	Menschenkinderlieder Band 1 / Band 2, Zentrum für Verkündigung der Evangelischen Kirche in Hessen und Nassau, Frankfurt

* In reformierten Gemeinden ist es üblich zu sagen:
„Ich taufe dich *auf* den Namen . . ."

Bezugsadressen

Luther-Verlag GmbH
Postfach 14 03 80
33623 Bielefeld

Internet: www.luther-verlag.de
E-Mail: vertrieb@luther-verlag.de
Tel.: (05 21) 94 40-1 37
Fax: (05 21) 94 40-1 36

Verlag Junge Gemeinde
Postfach 100355
70747 Leinfelden-Echterdingen

Internet: www.junge-gemeinde.de
E-Mail: vertrieb@junge-gemeinde.de
Tel.: (07 11) 9 90 78-0
Fax: (07 11) 9 90 78-25

Literaturverzeichnis

Das Neue Testament, übertragen von Jörg Zink, Stuttgart, Berlin, 6. Aufl. 1971.

Das Neue Testament und frühchristliche Schriften, übersetzt und kommentiert von Klaus Berger und Christiane Nord, Frankfurt a. M., Leipzig 1999.

Diana Klöpper und Kerstin Schiffner, **Gütersloher Erzählbibel** mit Bildern von Juliana Heidenreich, Gütersloh 2004.

Komm, freu dich mit mir. Die Bibel für Kinder erzählt von Karin Jeromin, illustriert von Rüdiger Pfeffer, Stuttgart, 2. verbesserte Aufl. 2000.

Pfälzer Kinderbibel, herausgegeben vom Pfarramt für Kindergottesdienst der Evangelischen Kirche in der Pfalz (Protestantische Landeskirche), Speyer 2004.

Rainer Oberthür, **Die Bibel für Kinder und alle im Haus**, Kempten 2004.

Irmgard Weth, **Neukirchener Kinder-Bibel**, Neukirchen-Vluyn, 14. durchges. Auflage 2003.

Postkarten des Kameruner Künstlers Martin Danabe: Kindersegnung (Bestell-Nr. 4635), Der Kämmerer (Bestell-Nr. 4636). Zu bestellen bei: Verlag Junge Gemeinde, Postfach 100355, 70747 Leinfelden-Echterdingen. Internet: www.junge-gemeinde.de oder E-Mail: vertrieb@junge-gemeinde.de.

Peter Böhlemann, **Das Liederbuch. Lieder zwischen Himmel und Erde**, Düsseldorf 2006.

Peter Böhlemann, **Simon und die schöne Anna**. Mitmach- und Mutmachgeschichten aus der Bibel. Leinfelden-Echterdingen 2002.

Ulrich Walter, Reinhard Horn, **Mit dem Friedenskreuz durch das Kirchenjahr**. Lieder, Geschichten, Gebete und Rituale. Leinfelden-Echterdingen 2006.